Reise nach Island

Inhalt

Steinunn Sigurðardóttir · Vom Torfhaus zum
  Megakraftwerk – Der Sprung in die Moderne . . . 7
Guðmundur Andri Thorsson · Trunkenbolde, Schlamm
  und Armut – Reykjavík im 19. Jahrhundert . . . 21
Halldór Laxness · Aufstand gegen die Atomstation . . . 30
Halldór Guðmundsson · Der Schiffbruch
  der Businesswikinger . . . 37
Ursula Spitzbart · Island – das Maß aller Dinge? . . . 46
Wolfgang Müller · Trocknen, Pökeln, Wässern,
  Vergraben – Isländische Fischgerichte . . . 56
Urte Undine Frömming · Hexen, Geister und Elfen –
  Die unsichtbaren Bewohner . . . 62
Anonym · Gunnars letzter Heldenkampf –
  Auszug aus der Njáls saga . . . 73
Wolfgang Jacoby · Wasser, Eis und Lava –
  Ein geologischer Blick . . . 96
Ina von Grumbkow · Auf dem Pferderücken
  durchs unbekannte Hochland . . . 114
William Preyer und Ferdinand Zirkel · Von Schwefel-
  töpfen, heißen Quellen und Geysiren –
  Reiseabenteuer vor 150 Jahren . . . 122
Antti Tuuri · Auf Schotterpisten zum Goldenen Kreis . . . 156
Jules Verne · Aufbruch zum Mittelpunkt der Erde . . . 167
Klaus Böldl · Vulkanausbruch hautnah –
  Besuch auf Heimaey . . . 185

Nachwort . . . 211
Worterklärungen . . . 216
Autorinnen und Autoren . . . 218
Bildnachweis . . . 223

Vom Torfhaus zum Megakraftwerk – Der Sprung in die Moderne
Steinunn Sigurðardóttir

Das isländische Experiment besteht seit mehr als elfhundert Jahren. Es begann in den ersten Jahrhunderten der Besiedlung des Landes glanzvoll mit dem Eintreffen eines goldenen Zeitalters, eines goldenen Zeitalters der Demokratie, eine für damalige Verhältnisse neuartige Vorstellung, und eines goldenen Zeitalters hoch entwickelter Literatur. Es war ein Rätsel, wie sich dieser funkelnagelneue Freistaat entwickeln sollte, in dünn besiedelten Landstrichen mit geringer Bevölkerungszahl. Die Fortsetzung ist nicht minder ein Rätsel. Derselbe Freistaat war so einfallslos, dass er es noch nicht einmal fertigbrachte, Wasser abweisende Lederschuhe herzustellen – und das Volk hatte tausend Jahre lang nasse Füße. Die handwerkliche Entwicklung stagnierte völlig, sodass selbst das Rad erst bei der Wende zum 20. Jahrhundert zum Vorschein kam. Man fraß seine eigene Lederjoppe und alles Mögliche, das man kaum als Nahrung bezeichnen kann. »Der Hering kam an Land und glitzerte am Meeresstrand«, aber sogar zu Zeiten schlimmsten Hungers verzehrte man ihn nicht.

Gegen Ende des Zweiten Weltkriegs begann ein neues isländisches Experiment; man war endlich eine unabhängige Republik. Auch dieses Experiment ist ein Rätsel, obwohl wir es miterleben und daran teilhaben; ein Rätsel zum Teil auch, weil es in Island nicht üblich ist, mitzuverfolgen, in welche Richtung man steuert, Dinge zu untersuchen und zu benennen. Die Isländer versuchen zu wenig, von benachbarten Nationen zu lernen. Gewiss ist es, aufgrund der speziellen isländischen Verhältnisse, in vielerlei Hinsicht schwierig, sich mit anderen Nationen zu vergleichen, aber dennoch könnte man einiges von Nationen lernen, die lange Erfahrungen mit der bürgerlichen Gesellschaft haben.

Wenn man seine Position darlegen möchte, ist es eine häufig angewandte isländische Vorgehensweise, Geschichten zu erzählen und die entsprechenden Reaktionen darauf wiederzugeben. In diesem Zusammenhang fallen mir die Worte meiner Freundin, der Schriftstellerin Málfríður Einarsdóttir, ein. Als ich mich irgendwann in den 1980er-Jahren darüber wunderte, wie geschmacklos viele Wohnhäuser in Island seien, sagte sie, das sei, weil wir noch nicht so lange Häuser hätten. Der Zusammenhang ist einleuchtend, aber das Offensichtliche erkennt man meist nicht. Und ich glaube, man muss die früheren und heutigen Wohnhäuser verstehen, um Island verstehen zu können.

Es ist bekannt, dass die Behausungen der Isländer bis ins 20. Jahrhundert hinein wenig einladend waren. Die Torfhöfe waren kalt und feucht und eng. Sie waren stickig und dunkel. Der ehemalige Direktor des isländischen Wohnungsbauwesens Sigurður E. Guðmundsson ließ die Torfhöfe untersuchen, und Ingenieure fanden mithilfe moderner Computertechnologie heraus, dass es sich um sehr klägliche menschliche Behausungen gehandelt hat. Es besteht kein Zweifel daran, dass aufgrund der schlechten Behausungen sehr viele Kinder in Island starben. Aber die Vorstellungen der Isländer von Torfhöfen sind romantisch, mit Vorleseabenden in der *baðstofa,* dem Wohn- und Schlafraum, bei Kerzenlicht – und ich würde mich nicht wundern, wenn man sie zu den besten Häusern der Welt erklärt hätte.

Die Isländer behaupten nämlich hartnäckig, in Island sei alles am besten. Die Kinder saugen mit der Muttermilch auf, dass ihr Land das beste Schulsystem der Welt und die besten Krankenhäuser habe, dass die Luft am saubersten sei, es das reinste Wasser der Welt gebe und die Natur so unberührt sei, dass man etwas Vergleichbares nirgends finden könne. Und natürlich die schönsten Sonnenuntergänge in der ganzen Welt. Wenn man diese Behauptungen näher beleuchtet, ist keine davon vertretbar – und das sage ich, obwohl ich den Sonnenuntergängen in Reykjavík sehr zugetan bin.

Ich fürchte, dass diese Behauptung, in Island sei alles am besten, dem Fortschritt sowie neuen, kreativen Lösungen und Möglichkeiten geradezu im Weg steht, da der Zustand von Land und Volk kaum untersucht und analysiert wird.

Es sollte klar sein, dass eine Nation, die beinahe siebenhundert Jahre lang fremdregiert wurde, im Anschluss eine Periode durchlebt, die sich sehr vom Selbstverständnis einer anderen Nation unterscheidet, die schon, so lange man denken kann, unabhängig ist.

Wenn nun dieselbe Nation plötzlich steinreich wird, nachdem sie jahrhundertelang zu den ärmsten und unterdrücktesten Ländern ihres Erdteils zählte, und die Bevölkerung vor Hunger und Elend fast ausgestorben wäre, dann wird deutlich, dass sich einiges ganz anders entwickeln muss als bei anderen Nationen.

Dennoch ist die Entwicklung des Landes vor einem kolonialen Hintergrund in Island kaum ein Thema. Daher muss man zu dem Schluss kommen, dass die Isländer ihre Vergangenheit vergessen haben. Die historische Phase der Fremdherrschaft ist natürlich so glanzlos, dass man keine Lust hat, sich allzu sehr damit zu beschäftigen, was die Verdrängung nachvollziehbar macht. Andererseits ist es sowohl für die Nation wie auch für den Einzelnen ungesund, die Vergangenheit zu verdrängen, sofern man sich auf Freud oder den gesunden Menschenverstand beruft. Dabei ist es wichtig, dass die Gegenwart und die zu bewältigenden Aufgaben nur sichtbar werden, wenn man die Vergangenheit erforscht. Ich habe den Eindruck, dass die politischen und teilweise auch die ökonomischen Verhältnisse in Island von der historischen Fremdherrschaft des Landes geprägt sind. Aber heute sind es die Isländer selbst, die in die Rolle der Kolonialherren geschlüpft sind und ihre Mitbürger unterdrücken, wenn sich ihnen die Gelegenheit dazu bietet.

Dies scheint sich leider auch in der Arbeitsweise einer Institution widerzuspiegeln, bei der dies zuallerletzt geschehen sollte, beim isländischen Parlament, dem Althing. In den letzten Jahren gab es zu viele anschauliche Beispiele, bei denen die Entscheidung des Althing eindeutig gegen den Willen eines Großteils der isländischen Bevölkerung verstieß. Dies betrifft nicht zuletzt die mehrheitliche Meinung des Althing bezüglich des Umgangs mit der isländischen Natur sowie bezüglich gesetzlicher Grundlagen einer zentralen Datenbank mit Nutzungsrecht der Firma deCODE genetics. Es ist bemerkenswert, dass in einem Land, in dem das Althing im Jahr 930 gegründet wurde, noch nie das Instrument der Volksabstimmung angewendet wurde. Die regierenden Politiker sind offenbar der Meinung, es sei ihr gutes Recht, sogar über bedeutende Themen zu entscheiden, die bei ihrer Wahl gar nicht zur Debatte standen. Das Kárahnjúkar-Kraftwerk, das größte und kapitalintensivste Projekt in der isländischen Geschichte, das die bei Weitem größte Umweltbelastung mit sich bringt, war nie Bestandteil irgendeines Wahlprogramms. Ebenso wenig wie die zentrale Datenbank im Gesundheitssektor – einschneidende Vorhaben, die in keinem anderen Land auf diese

Vom Torfhaus zum Megakraftwerk – Der Sprung in die Moderne

Weise realisiert worden wären. In Island gab es lediglich eine kurze Vorbereitungszeit, bevor sie vom Althing verabschiedet wurden.

Die Umgehensweise des Althing mit diesen und anderen Themen gibt zu schweren Bedenken Anlass im Hinblick auf die Kommunikation und das Verhältnis zwischen der isländischen Regierung, dem Althing und der Allgemeinheit. Ebenso stellen sich gravierende Fragen bezüglich der Parteienführung und der Unabhängigkeit der Abgeordneten. Ich fürchte, die Worte Vertrauen oder Loyalität sind in der isländischen Politik Begriffe, die missbraucht werden. Ich fürchte auch, dass jene Parlamentarier, die sich gegen die erklärte Linie ihrer Partei stellen, in ihrer politischen Laufbahn behindert werden. Beispiele dafür habe ich bei beiden Regierungsparteien (Unabhängigkeitspartei und Fortschrittspartei), die derzeit (2004) in Island an der Macht sind, mitverfolgt. Ich glaube, es mangelt der isländischen Politik an fähigen und gut ausgebildeten Leuten, denn solche Leute wurden aus dem Althing und aus der Politik vertrieben, weil sie bezüglich des Umgangs mit der isländischen Natur eine andere Meinung als ihre Partei vertreten haben.

Ich bin der Meinung, dass in Island eher eine Parteienregierung besteht als eine tatsächliche moderne Demokratie. Die Beteiligung und Einbindung der Allgemeinheit in eine Politik, die die Zukunft von Land und Volk betrifft, ist offenbar kein wirkliches Thema. Die allgemeine Bereitschaft oder Fähigkeit, sich in Dinge, die einem missfallen, einzumischen, ist gering – und diese Untätigkeit der Leute könnte man als eine Einstellung bezeichnen, der immer noch der Beigeschmack eines fremdregierten, unterdrückten Volkes anhaftet. Die Fernsehsendung *spaugstofa* (»Spaßstube«), bei deren hervorragendem Humor sich die Isländer jeden Samstagabend amüsieren, hat den *Homo islandicus* erfunden. Dieser ist eine Spezies, die mit Fußabdrücken auf dem Rücken herumläuft – ich bin offenbar nicht allein mit meiner Meinung, dass der *Homo islandicus* mehr über sich ergehen lässt als Menschen in anderen Ecken der Welt. Wenn der Brötchenpreis in Deutschland um einen Cent steigt, beschweren sich die Hausfrauen und kaufen sogar aus Protest keine Brötchen mehr, aber isländisches Weißbrot kann um mehrere Kronen teurer werden, ohne dass irgendjemand dies überhaupt zur Kenntnis nimmt. Und niemand würde auf die Idee kommen, irgendetwas nicht mehr zu kaufen, weil es teurer geworden ist.

Kürzlich ist in Island eine Sache zur Sprache gekommen, bei der eine enorme gesetzeswidrige Preisabsprache der isländischen Ölgesellschaften aufgedeckt wurde. Es heißt, sie hätten den Verbrauchern durch diese Geschäftsmethoden insgesamt vierhundert Milliarden Kronen aus der Tasche gezogen. Selbstverständlich wurde diese Preisabsprache von den Bürgern wahrgenommen – ebenso wie von den Politikern. Dennoch wurde sie die ganze Zelt geduldet, lange nachdem Wettbewerbsgesetze in Kraft getreten waren, die derartige Geschäftspraktiken verbieten.

Hierbei kann man einen deutlichen Unterton der fremdbestimmten Vergangenheit der Isländer erkennen. Die dänischen Machthaber verordneten den Isländern ein Handelsmonopol. Nachdem sie abgezogen waren, übernahmen die einheimischen Machthaber ihre Rolle.

Der unerhört hohe Preis vieler Bedarfsgüter in Island stößt bei ausländischen Gästen auf Erstaunen, und sogar die Isländer wundern sich ständig darüber. Dies wurde lange Zeit durch die hohen Transportkosten auf dem langen Weg hoch zum Polarkreis entschuldigt, oder dass es so teuer sei, eine Gesellschaft auf einer großen, dünn besiedelten Insel aufrechtzuerhalten. Doch dann stellte sich heraus, dass es die Inselbewohner selbst sind, die ihre Landsleute beschwindeln und ausbeuten. Die Kolonialherren sind isländisch, das Monopol ist isländisch und nicht ausländisch.

Ich habe einen Blick auf die nicht aufgearbeitete Vergangenheit der Isländer bezüglich der dunklen Jahrhunderte der Fremdherrschaft und deren Verbindung zur Gegenwart geworfen. Aber es existiert noch eine andere Vergangenheit, eine jüngere, die ebenfalls intensiverer Diskussion bedarf, und das ist Islands Vergangenheit als Schauplatz und als eine Art Schlachtfeld im Kalten Krieg. Fast das gesamte Leben der Isländer als unabhängige Nation spielte sich im Schatten des Kalten Krieges ab.

Die Isländer waren gerade erst von den Dänen unabhängig geworden, als die Engländer das Land im Zweiten Weltkrieg besetzten. Die Amerikaner folgten ihnen und errichteten in Island Militärstützpunkte, den größten auf der Halbinsel Miðnes, und die Isländer traten der NATO bei.

Der Beitritt Islands zur NATO und die Errichtung amerikanischer Stützpunkte auf der Halbinsel Miðnes verursachten eine tiefe Spaltung der jungen unabhängigen Nation. Es ging so hart zur Sache, dass diejenigen, die gegensätzlicher Meinung waren, sogar als Vaterlandsverräter bezeichnet wurden. Der Tonfall in den Artikeln der damals größten Tageszeitungen, *Þjóðviljinn* und *Morgunblaðið*, bezeugt dies. Im Grunde herrschte in Island ein Bürgerkrieg der Ansichten, ein kalter isländischer Krieg inmitten des Kalten Krieges der Russen und Amerikaner – ein Krieg derjenigen, die für oder gegen einen NATO-Beitritt Islands waren.

Dieser kleine isländische kalte Krieg schien offenbar eine gewisse Rolle für die Protagonisten des großen Kalten Krieges zu spielen – beispielsweise abonnierte das J. Edgar Hoover Institute for War and Peace in den USA, die bedeutendste amerikanische Institution, die sich mit Untersuchungen zum Kalten Krieg beschäftigte, den *Þjóðviljinn*, die sozialistische Tageszeitung in Island. Aber natürlich nicht die Tageszeitung der ideologisch korrekt ausgerichteten Leute, das *Morgunblaðið*.

Die Isländer scheinen im Grunde nicht wahrzunehmen, dass das Leben der Nation jahrzehntelang von einem kalten Krieg auf heimischem Schauplatz bestimmt war. Dies wird in Island kaum diskutiert, obwohl es eine tiefe und unauslöschliche Narbe auf der Volksseele hinterlassen hat.

Vielleicht dauert dieser Krieg gerade deshalb an oder bricht ständig wieder aus, weil er kaum verarbeitet wurde. Ein Teilaspekt dieses kalten Krieges bezieht sich derzeit auf Halldór Laxness, seine Einstellung, seine politische Ausrichtung und sein literarisches Werk.

Als die Isländer endlich Ernst damit machten, die Biografie dieses vielleicht bedeutendsten Isländers aller Zeiten zu schreiben, da wurden es zwei Biografien, von zwei verschiedenen Männern verfasst. Die eine wurde von einem Politikwissenschaftler, die andere von einem Literaturwissenschaftler geschrieben. Letzterer ist Halldór Guðmundsson, der lange Zeit der wichtigste literarische Verleger in Island war und ein ausgewiesener Kenner der Werke von Halldór Laxness ist. Er hat einen linkspolitischen Hintergrund, wie bis vor Kurzem die meisten Intellektuellen und Künstler des Landes. Der Politikwissenschaftler Hannes Hólmsteinn Gissurarson zählt zu den Konservativen und ist ein Verfechter des Liberalismus. Seine Beiträge in den Medien über seine dreibändige Laxness-Biografie befassen sich vor allem mit Laxness' politischen Ansichten und seinen Verbindungen zur Sowjetunion. Diesbezüglich hat Hannes Hólmsteinn Gissurarson auf Grundlage eigener Quelleninterpretation die Theorie entwickelt, die Schwedische Akademie habe Halldór Laxness den Nobelpreis verliehen, um ihn loszuwerden, weil sie keine Lust mehr gehabt habe, sich ständig mit Vorschlägen auseinanderzusetzen, man solle ihn auszeichnen.

Ich finde diese Umgangsweise mit Halldór Laxness erniedrigend und meine, dass ihr viel zu viel Raum gegeben wird. Hannes Hólmsteinn Gissurarson machte beispielsweise kürzlich in den isländischen Zeitungen ein großes Thema daraus, dass Laxness die Idee zur *Atomstation* von einem tschechischen Schriftsteller gestohlen habe, nachdem er einen entsprechenden Hinweis von Einar Olgeirsson, dem langjährigen Vorsitzenden der isländischen Kommunisten, erhalten habe.

Alle, die das Werk von Laxness kennen, wissen, dass er sich aus vielen Richtungen inspirieren ließ, und sie wissen auch, dass sein Ideenreichtum und seine Erfindungsgabe unvergleichlich waren. Er konnte aus nichts Gold machen. Die Entdeckung, der Bruchteil einer Idee sei möglicherweise von der Geschichte eines Kollegen inspiriert worden, ist höchstens eine Fußnote wert, im Vergleich zu dem, was in seiner Laufbahn als Schriftsteller tatsächlich von Bedeutung ist.

Tatsache ist, dass zurzeit in Island über die Herangehensweise, die ich gerade kurz skizziert habe, und über die beiden Biografien ein kalter Meinungskrieg tobt, dessen Wurzeln im eigentlichen Kalten Krieg begründet liegen.

Hierbei mag man sich fragen, ob der Aufruhr über die beiden Laxness-Biografen etwas über die Art und Weise aussagt, mit der die Isländer ihre Kulturschätze bewahren. Warum wurde nicht schon längst eine Biografie über Halldór Laxness geschrieben oder nicht wenigstens damit begonnen, sie zu schreiben? Warum wurde seine Verbindung zur Sowjetunion nicht ausführlich und sachlich diskutiert? Und warum geht die Hauptsache in geringfügigen Nebensächlichkeiten unter – die Hauptsache, dass Halldór Laxness einer der weltweit bedeutendsten Schriftsteller des 20. Jahrhunderts ist – und dass sein schriftstellerisches Werk in seiner ganzen Vielschichtigkeit und Einzigartigkeit eine Leistung ist. Diese Leistung beeindruckt mich umso mehr, je länger ich lebe und lese.

Der Stand der Dinge scheint in Island oft von einem langen Weg zwischen Worten und Taten, zwischen Worten und der Realität gekennzeichnet zu sein. Die beschämende Diskussion über Halldór Laxness in der jüngsten Zeit ist ein Beispiel dafür. Schauen wir uns ein anderes Beispiel an, die isländische Sprache. Die Isländer prahlen damit, sie hätten es der Sprache zu verdanken, dass ihr Volksbewusstsein die düsteren Jahrhunderte der Unterdrückung überlebt habe. Sie könnten immer noch die besten Bücher der Welt, die Isländersagas, lesen, ohne eine besondere Ausbildung absolviert zu haben. An Feiertagen werden hochgestochene Reden gehalten über das Isländische und die Pflege, die die Isländer ihrer Sprache angedeihen lassen. Zugleich ist diese Sprache, das Isländische, wie ein Obdachloser, der seinen Kopf nirgends betten kann und kein Dach über dem Kopf hat. Es existiert kein ausführliches einsprachiges isländisches Wörterbuch, nichts Vergleichbares zum englischsprachigen Webster oder zum finnischen siebenbändigen Sanakirja. Wenn der Wille da gewesen wäre, hätte die öffentliche Hand ein solches Wörterbuch längst finanzieren können. Aber noch nicht einmal der erste Band ist in Sicht; stattdessen benutzen wir Wörterbücher, die Notlösungen für einen begrenzten Gebrauch darstellen, wobei grundsätzlich nichts an ihnen auszusetzen ist. Dennoch lässt es sich in keiner Weise mit dem Nationalstolz, den nationalen Ambitionen und mit ernsthaften Überlegungen über die isländische Kultur und Sprache vereinbaren, dass kein Anzeichen der Herausgabe eines isländischen Standardwörterbuchs in Sicht ist, und das sechzig Jahre nachdem Island endlich unabhängig wurde – und seitdem die meiste Zeit eine der reichsten Nationen der Welt war. Es existiert eine Grundlage für ein solches Wörterbuch in der Universität Islands, auf Zetteln und im Computer, aber die Herausgabe eines ersten Bandes liegt in weiter Ferne. Die Geschichte des isländischen Wörterbuchs ist

Vom Torfhaus zum Megakraftwerk – Der Sprung in die Moderne

ein sprechendes Beispiel für die Wertschätzung und das Setzen von Prioritäten in Island.

Und was bleibt über die Wertschätzung der unabhängigen Nation zu sagen, wenn es um die Natur geht? Was gibt es hier über Worte und Taten zu sagen? Die isländische Natur wird schließlich von Isländern und Ausländern in Wort und Schrift verherrlicht. Die Natur wird als unberührt bezeichnet, selbst heute noch, obwohl es eine Tatsache ist, dass die schnellste Desertifikation Europas, wenn nicht der ganzen Welt, in Island stattfindet. Wir sehen den beklagenswerten Zustand des Landes, die Winderosion, mit eigenen Augen, und wir geben den Sandstürmen die Schuld. Dennoch behaupten wir, die isländische Natur sei unberührt.

Das Bild der Landschaft und der Wasserwege ist schon jetzt durch menschlichen Einfluss stark verändert. Stauseen, Staudämme, Stromleitungen, Masten und Elektrizitätswerke fallen ins Auge, vor allem im südwestlichen Teil des Landes, sowohl in besiedelten, als auch in unbesiedelten Landstrichen.

Das Kárahnjúkar-Kraftwerk wird die größte Umweltschädigung in der Geschichte Islands verursachen. Diese ist so gewaltig und vielschichtig, dass ich sie kaum beschreiben könnte, selbst wenn ich hier über nichts anderes reden würde. Jedenfalls ist es klar, dass dadurch die größte bewusste Umweltzerstörung, die in Island je stattfand, vollzogen wird. Das Gelände des Kárahnjúkar-Kraftwerks ist das einzige Gebiet Islands, in dem es eine lückenlose Vegetation vom Gletscher bis zum Strand gibt. Zweifellos werden das Kraftwerk und der Stausee eine gewaltige Erosion verursachen. Kluge Leute, ich möchte als Beispiel nur die Naturkundler in Kvísker í Öræfum nennen, haben vorhergesagt, dass einige Bezirke in den Ostfjorden, vor allem Hérað, durch Erosion und Verwehungen unbewohnbar sein werden.

Es ist traurig, sich vorzustellen, welche Zerstörungen der

nordischen Paradiesinsel schon zugefügt worden sind, nachdem die ersten Menschen sie erblickten, seien es nun irische Mönche oder andere. Sicher ist jedenfalls – wenn man alten Büchern Bedeutung beimisst –, dass das Land bewaldet war, als die unbändigen Norweger, unsere Vorväter, es betraten. In unserer Fantasie sieht es aus wie eine nordische Version des Paradieses, irdisch und unirdisch zugleich, wie Paradiese eben sind, voller Grün, Weiß und Blau, voller Büsche und Gletscher und zappelnder Fische in Flüssen und Wasserfällen.

Der Verlust der Isländer wird groß sein, der Verlust der Dinge, die dieses Paradies einladend machten, Buschwerk von den Bergen bis zum Strand. Die Sehnsucht nach Windschutz, Blätterrascheln, etwas Grünem und Mannigfaltigem für das Auge und für die Seele wird groß sein. Schon jetzt ist das Interesse an der Aufforstung so groß und weit verbreitet, dass es einer Epidemie gleicht. Die Isländer verwenden unendlich viel Zeit und Geld darauf, Bäumchen in Sand und Heide zu pflanzen, wobei die Wachstumsbedingungen größtenteils schlecht sind, wohin man auch schaut. Der Boden ist nicht sehr fruchtbar, es ist windig, zu kalt, nicht feucht genug. Es gibt keinen geduldigeren Menschen und keinen, der die Kälte besser ertragen kann, als einen isländischen Baumzüchter. Aufforstung wird zum größten Hobby im ganzen Land, sobald die Leute etwas dafür erübrigen können. Und die Isländer reisen mehr und mehr im Inland. Leute in wetterfesten Overalls haben sich mit dem ungnädigen Wettergott ausgesöhnt und genießen die Natur ihres Landes wahlweise zu Fuß, auf dem Pferderücken, im Auto, Motorschlitten, Kajak, Jeep oder Flugzeug.

Im Hinblick auf den Outdoor-Trend und die Aufforstung könnte man sagen, dass die Leute hier ihre Taten sprechen lassen. Im Grunde handelt es sich hierbei um eine Absichtserklärung der Mehrheit gegenüber ihrem Land. Stimmt sie mit

Vom Torfhaus zum Megakraftwerk – Der Sprung in die Moderne

dem Willen derer, die das Land in den vorangegangenen Jahrzehnten regiert haben, überein? Stimmt sie mit der Tendenz überein, Island über seinen jetzigen Zustand hinaus zu zerstören und Vegetationsoasen in der Wüste versanden zu lassen, damit die größten Flächen für Umwelt verschmutzende Fabriken genutzt werden können?

Den Isländern selbst mangelt es nicht an Strom, für dessen Produktion die Natur nun schmerzhaft herangezogen wird. Der ausländischen Großindustrie mangelt es an diesem Strom, und die Isländer geben sich mit Brosamen zufrieden, die als Bezahlung für die unwiderrufliche Zerstörung der Natur vom Tisch der Großindustrie fallen. Von Profit kann man beim Kárahnjúkar-Kraftwerk nicht sprechen, denn die Aluminiumfabrik ist in Besitz von Alcoa, und der Profit wird außerhalb des Landes gemacht.

Die Isländer nehmen einen Kredit von einhundert Milliarden Kronen auf, um das Kraftwerk zu bauen, und verkaufen den Strom dann so billig, dass der Preis ein Staatsgeheimnis ist. Die Risiken des Kraftwerks sind so hoch und vielschichtig, dass die Entscheidung für das Kraftwerk unverständlich ist. Auf Wissenschaftler, die Einwände erhoben, wurde so großer Druck ausgeübt, dass sie verstummten. Und auf diejenigen, die trotz allem ihr Wort erheben, hört man nicht.

Schon bald stellte sich heraus, dass die Naturgewalten in der Umgebung von Jókulsá und Kárahnjúkar nicht zu bändigen sind. Schon nach wenigen ungewöhnlich heißen Tagen führte der Gletscherfluss so viel Wasser, dass die Baustelle des Kraftwerks fast überschwemmt wurde – wie auch die Brücke, welche die Lebensader des Kraftwerkgebiets darstellt. Schon zu Beginn scheinen die Berechnungen und Grundlagenprüfungen fehlerhaft gewesen zu sein. Und wenn das Kraftwerk nicht funktioniert? Wenn der Strom, den das Aluminiumwerk benötigt, nicht produziert werden kann oder wenn zu wenig

Strom geliefert wird – was dann? Sind die Isländer dann bald bankrott?

Was die Elektroenergie betrifft, sind die Isländer zur Mitte des letzten Jahrhunderts auf grandiose Weise eine unabhängige Nation gewesen. Sie machten die Wasserfälle nutzbar und produzierten die Energie, die sie brauchten, um eine moderne Gesellschaft aufzubauen und deren Bedürfnissen gerecht zu werden. Im technischen Bereich orientierte man sich an den USA; und die Isländer waren ziemlich weit vorn, wenn es um technisches Know-how im Energiebereich ging. Es ist ein spannendes Kapitel in der Geschichte Islands und der Geschichte der Unabhängigkeit, als die Bäche auf den Höfen nutzbar gemacht wurden, um elektrisches Licht in die Häuser zu bringen, um Waschmaschinen anzutreiben, besonders auf den Höfen, die so entlegen waren, dass sie von der staatlichen Stromversorgung nicht erreicht wurden. Noch heute existieren einige dieser privaten Stromversorgungssysteme, nicht zuletzt in der Skaftafellssýsla, wo übrigens meine Heimat ist. Dort waren ungeheuer bahnbrechende Menschen am Werk, die durch die Gemeinden fuhren und private Stromwerke errichteten, als eine Art Symbol für die unabhängige Nation und für ihr allerbestes Potenzial: Eigeninitiative und Kreativität.

Diese positiven Eigenschaften spiegeln sich meiner Meinung nach heutzutage am ehesten in der Arbeit der Künstler und Wissenschaftler in Island wider. Ich vermisse mehr kreatives und selbstständiges Denken, wenn es darum geht, den Aufbau einer unabhängigen Gesellschaft in Island fortzuführen. Ich wünsche mir also eine Denkweise, die es unmöglich macht, das Land und die Natur noch weiter zu zerstören, die nicht uns heute lebenden Isländern allein gehört, sondern der ganzen Welt und den zukünftigen Generationen.

Trunkenbolde, Schlamm und Armut – Reykjavík im 19. Jahrhundert
Guðmundur Andri Thorsson

Ich sehe Kutschen, die mit vertrautem Klappern über gepflasterte Straßen holpern. Die Sonne scheint. Ich sehe Häuser, die seit Jahrhunderten an ihrem Platz stehen, hohe und stattliche Steinbauten, die von Reichtum und der natürlichen Ordnung der Dinge zeugen. Überall sind fein gekleidete Menschen unterwegs, manche schreiten fest entschlossen voran, andere spazieren mit Kindern und Hunden umher. Ich sehe zerlumpte Gestalten; manche betteln, andere liegen halb tot im Rinnstein. Und wenn ich in gewisse Seitenstraßen gehe, sehe ich Dirnen jeden Alters, dicke, große, schlanke, verführerische und abstoßende. Ich sehe Frauen unter Sonnenschirmen, sie werfen unter ihren Huträndern Blicke nach allen Seiten hervor, sitzen hoch aufgerichtet in den Wagen. Und Männer, die ihren Verheißungen oder ihrem Unheil entgegeneilen. Ich sehe Menschen: glücklose, eitle, traurige, hochmütige, fröhliche, x-beinige, schöne, schwarze, weiße – und Kutschen, die mit wohltuendem Klappern über gepflasterte Straßen holpern, und rasselnde Straßenbahnen, die sich ihren Weg mittendurch bahnen. So spinnt das Leben seine sinnlosen Geschichten in unzähligen Fäden immer weiter, ungerecht und rätselhaft; wenn einer verschwindet und eines Morgens nicht pünktlich zur Stelle ist, drängt sich schon ein anderer begierig auf seinen Platz und ruft Hallo! Kauft Äpfel! Frische Tomaten! Duftende Blumen! Und wohlriechende Marktplätze, duftende Straßen, Gerüche in der Luft, die von Leben zeugen und der Nase immerfort neue Duftnoten von Speisen und Abfall, Leidenschaft und dem Kreislauf des Lebens zutragen – Gerüche: einschmeichelnd hier, penetrant dort, unerträglich, aufdringlich, verlockend. Ich brauche nur in die nächste Straße zu biegen, um einen neuen Duft aufzunehmen. Das Klappern der Kutschen, das Stimmengewirr in den Straßen, das Hundegebell, die Rufe der Trödler und Fischweiber klingen mir in den Ohren, und das unendlich bunte Gemisch aus unendlich vielfarbigen Menschen strömt voran, zu Fuß oder in Kutschen, die mit gewohntem Klappern durch die vertrauten Straßen holpern, und selbst wenn du schmutzig, kümmerlich und dem Tod geweiht bist, liebe ich dich doch, meine Stadt, nicht zuletzt an einem Tag wie diesem, nachdem ich umhergelaufen bin und mir mit Entsetzen die armselige Ansammlung von Häusern vor Augen geführt habe, die man Reykjavík nennt.

Das ist keine Stadt und auch kein Dorf. Und trotzdem ist es nicht das Land. Es ist in Wahrheit nichts anderes als eine zufällige Anhäufung von Häusern.

Regen hüllt einen ein. Gestank benebelt einem die Sinne. Schmutz verstellt einem den Blick. Niemand ist unterwegs außer so absonderlichen Gestalten wie jenes Jammerbild, dem ich frühmorgens begegnete, in unbeschreibliche Lumpen gehüllt, einen Eimer Wasser schleppend und mit einer wilden Horde johlender Kinder auf den Fersen.

Die Hauptstadt Islands scheint mir auf den ersten Blick ein viel trostloserer Ort als Tórshavn auf den Färöern zu sein. Diese Stadt liegt noch weiter vom Ende der zivilisierten Welt entfernt. Nur weniges hier erinnert an Hochsommer. Man sieht

Trunkenbolde, Schlamm und Armut – Reykjavík im 19. Jahrhundert 23

kaum Grün, außer auf den Dächern der Hütten am Stadtrand, wo nutzloses Gras mit Vogelmiere und anderem Unkraut um die Vorherrschaft kämpft. Wozu zieht man hier Fische an Land? Auf den dunklen Schotterbänken am Meer liegen Boote und sinnlose Haufen von Fischen. Niemand findet es der Mühe wert, sie aufzulesen. Überall Dorschköpfe und schmierige Netzballen. Da und dort halb zusammengefallene Trockengestelle. Am Strand zieht sich eine Reihe morscher Holzschuppen entlang, notdürftig mit schwarzer Farbe bekleckst, die an allen Ecken abblättert, aber keiner macht sich die Mühe, sie auszubessern. Daran schließt sich ein verwirrender Haufen von Häusern an, die entweder zum Meer oder zum Bach hin ausgerichtet sind, wie es scheint, je nachdem, wie es dem Einzelnen gerade gefiel. Die meisten sind aus einem Gerüst von Holzbalken erbaut, in das mit Steinen, Kalk und Sand hochgemauert wurde. Danach wurden die Wände mit Brettern oder Treibholzplanken verschlagen. Zwischen den Häusern sind morastige Straßen, die mit Lavasteinen gepflastert sind, sodass man den Eindruck hat, man gehe über ein buckliges Lavafeld. In den Straßen hängt ein fauliger Gestank nach Unrat und Abfall, der aus den Häusern geworfen und geleert wird. Nirgends sind Gärten. Nirgends gepflegtes Grün. Nirgends ein Anzeichen dafür, dass hier eine menschliche Hand mit Hingabe und Umsicht am Werk war. Alles scheint in größter Eile und irgendwie notdürftig zusammengeflickt – sind denn hier alle im Aufbruch begriffen?

Da und dort lehnen untätige Männer an Hausmauern, die Hüte tief in die Stirn gezogen, die Hände in den Hosentaschen. Sie scheinen völlig damit beschäftigt, zu rauchen. Andere lungern in den Läden herum, als ob es Gaststätten wären, und kippen Branntwein in sich hinein. Es scheint ihnen gar nicht in den Sinn zu kommen, etwas von dem Fisch aufzulesen, der draußen verdirbt. Diejenigen, die genug Willenskraft aufbringen, um durch die Straßen zu gehen, sind Trunkenbolde und Idioten.

Abgesehen von den Frauen. Keine jungen Frauen freilich, oder sie sind alle unter der ständigen Plackerei und einem schweren Joch alt geworden. Ich sehe, wie sie mit Bündeln beladen zum Hafen wanken, kräftige, abgehärtete Gestalten mit wettergegerbten blauroten Gesichtern und rissigen Händen. Sie scheinen hier alle harten Arbeiten zu verrichten, zusammen mit den kleinen, schwermütigen Pferden, die an Schwänzen und Zügeln zusammengebunden in einer Reihe dahintrotten, sofern sie nicht überhaupt frei herumlaufen und wie eine Meute von Straßenkötern in den Abfallhaufen schnüffeln. Und Katzen – warum gibt es hier so viele Katzen?

Am Rande der Stadt ducken sich armselige Torfhütten. Ich blickte aus Neugier in eine dieser Erdhöhlen hinein. Sie bestand aus nur einem Raum, und ich musste die ganze Zeit über, während ich drinnen war, gebückt stehen, obwohl ich nur von durchschnittlicher Größe bin. An der mir gegenüberliegenden Wand befanden sich zwei Schlafstellen und dazwischen ein Tisch. Entlang der anderen Seite des Raumes lagen verschiedene Gegenstände aufgereiht, Wolle, Gras und Werkzeuge. Gegenüber der Tür war in der Mitte der Wand eine Feuerstelle. Der Boden war aus Lehm, und das einzige sichtbare Holz im Haus waren die Balken, die den Torf abstützten. Darin hatten sich fette Schnecken heimisch gemacht, und irgendein ekliges Gewächs, das ich nicht kannte, ragte bis unters Dach hoch. Alles war voll von Fischschleim, und ein grüner Schimmel überzog den Raum, so, als ob man diesen ganzen Ort eben erst vom Meeresgrund heraufgeholt hätte. Es war finster, stickige Rauchschwaden durchzogen den Raum, die durch die winzigen Dachluken, welche kaum einen Lichtschimmer hereinließen, nicht abziehen konnten. Dies

Trunkenbolde, Schlamm und Armut – Reykjavík im 19. Jahrhundert

war keine menschliche Behausung. Der Fuchs gräbt sich eine wohnlichere Höhle in der Einöde. Die Katze sucht sich einen warmen, trockenen Platz, um sich einzurollen, die Vögel des Himmels schützen ihre Brut mit kunstvoll geflochtenen Nestern. Und die Menschen … Nach den Worten meines Freundes und Reisebegleiters Cameron wird alle Entwicklung durch eine natürliche Auslese vorangetrieben, und diejenigen, die am ehesten fähig sind, unter gewissen Umständen zu leben, werden aufgrund bestimmter Eigenschaften, die gerade dort von Vorteil sind, überleben – oder gehen andernfalls zugrunde. Der Mensch – sagt Cameron – entwickelt sich genauso wie Echsen und Vögel und Fische durch die Auseinandersetzung mit seiner Umgebung, er reagiert: Alle Tiere versuchen, sich ihre Umgebung erträglich zu machen, und vergrößern dadurch ihre Lebenschancen und die der Ihrigen.

Hier scheinen die Menschen weder zu überleben noch zugrunde gehen zu wollen.

Mitten in der Stadt entdeckt man Versuche, Gemüse zu ziehen. Ich sah einige Kartoffeläcker und einen Kohlgarten. Ansonsten wurde das Bild der Gärten von einer übergroßen Engelwurz bestimmt, von der ich nicht weiß, wozu sie die Leute gebrauchen. Hólm führte uns zu einem Holzhaus inmitten der Stadt, wo wir heute Nacht schlafen sollen. Er sagte, hier wohne die Schwester eines Bekannten von ihm, und wir würden mehr Ruhe als in der Herberge finden, wo es oft laut hergehe. Ich war ungeheuer erleichtert, zu sehen, dass alles sauber und einigermaßen in Ordnung war. Die Herrin des Hauses machte freilich keinen übertrieben liebenswürdigen Eindruck. Sie hatte merkwürdig blassgelbes Haar, und Augenbrauen waren nicht zu erkennen. Ein gequälter, kummervoller Ausdruck lag in ihrem Gesicht. Sie ist mit einem Dänen verheiratet, den ich stumm und reglos in der Stube sitzen und aus dem Fenster blicken sah. Als ich auf ihn zuging, um ihn zu begrüßen, merkte ich, dass er stockbetrunken war. Ansonsten aber ist er ein ausgesprochen höflicher Mensch.

Danach trennten wir uns. Ich irrte in meiner Verzweiflung durch die Stadt, während Cameron bis in den Nachmittag hinein am Schreibtisch saß, bevor auch er außer Haus ging. Ich hatte erwartet, ihn am Abend, als wir gegenseitig von unseren Erfahrungen berichteten, ebenso bedrückt wie mich selbst anzutreffen, aber davon konnte keine Rede sein. Ihn schienen all der Schmutz und die armseligen Hütten nicht sonderlich zu berühren, und er hatte offensichtlich gar nicht bemerkt, wie gründlich die Isländer seine Theorie von der Entwicklung widerlegten. Umso ausführlicher sprach er vom Aussehen der Isländer, welches er höchst bemerkenswert fand. Am meisten schien er darüber erstaunt, wie wenigen Krüppeln und Idioten man begegnete, obwohl hier doch große Inzucht herrschen musste. Er wollte das mit der außergewöhnlichen Reinheit des isländischen Blutes erklären. Wenn dagegen unter so entwickelten und vermischten Völkern wie den Engländern oder Franzosen zahlreiche Ehen innerhalb der Familienbande geschlossen würden, bestehe weit größere Gefahr von Entartung. Er konnte gar nicht aufhören, über das Aussehen der Leute zu spekulieren, über die Kopfform der Isländer, ihre Nase, Augenfarbe, Haarfarbe und ihren Körperbau. Manche Merkmale, wie die blauen Augen und roten Haare, sagte er, kämen augenscheinlich von den Iren, anderes, wie die helle Haut und der gequälte Gesichtsausdruck, wäre eindeutig nordischen Ursprungs, obwohl er auch einige dunkle Typen gesehen habe, von denen er vermute, sie stammten von Grönländern ab.

Er setzte sich zurecht, lehnte sich zurück, hob den Zeigefinger und sagte: »Die Isländer sind allgemein nicht schön, sondern klobig, aber gesund und besonders gut befußt. Sie haben hässliche Münder, schlechte Zähne und unschöne Nasen.

Trunkenbolde, Schlamm und Armut – Reykjavík im 19. Jahrhundert

Viele haben Sommersprossen. Die Frauen sind besser gewachsen als die Männer, wie es der Natur entspricht, aber es scheint mir, dass sie im Alter gern dickleibig werden. Meine besondere Aufmerksamkeit weckte ihr kalter Blick, der unweigerlich an die Augen von Dorschen erinnert, und zweifellos tragen diese zusammengekniffenen Augen die meiste Schuld am schwermütigen und traurigen Aussehen der Isländer. Die größte Zierde dieses merkwürdigen Volkes ist dagegen ihre Haarfarbe, die, wie ich glauben möchte, die größte Vielfalt unter allen westlichen Völkern zeigt.«

Er kommt von seinem Spaziergang durch diese Stadt voll der Freude des Wissenschaftlers über seine neuen Entdeckungen zurück, während ich schwer bedrückt durch die Straßen schleiche. Und über all das hat er sich bereits Notizen gemacht. Hingegen bin ich nicht so sicher, dass er all das, was er über die Tochter unseres Wirtes sagte, die uns das Abendessen servierte, notieren wird. Ein überaus hübsches Mädchen, mit außergewöhnlich schöner Haut und vornehmer Haltung, mit langem, vollem, goldblondem Haar, deren unbefangenes und freimütiges Benehmen, als sie uns recht löblich auf dem Piano vorspielte, ihren ungemeinen Reiz erst recht nicht verringerte. Ich hatte das Gefühl, dass sie mir etwas länger als nötig in die Augen blickte. Vielleicht habe ich ihr gefallen.

Nach dem Abendessen besuchten wir eine Gaststätte, die den Namen Hotel Skandinavia trägt, aber wir waren zu müde, um uns mit den Gästen näher zu unterhalten – sofern diese überhaupt noch zu einem Gespräch fähig waren. Zwei Russen trafen wir allerdings, die in sonderbaren Angelegenheiten hier sind. Es stellte sich heraus, dass sie in der Absicht gekommen waren, Kopfhaar von isländischen Frauen zu kaufen, um es in Perücken zu verwenden. Die energische Hallgerður der Njáls saga ist somit nicht die Einzige hier, die in der ganzen Welt für ihre Haarpracht berühmt ist. Sie sagten, sie seien nicht die ersten Russen, die hierherkommen. Sie hätten von einem gewissen Stavrogin zuerst von diesem Land gehört, der vor vielen Jahren hierher gereist sein soll.

Der Gaststättenbesuch wurde beinahe zu einer Inferno-Reise, denn wir bekamen manches zu sehen, das ich in diesem Land nicht erwartet hätte. So saßen etwa nicht weit von mir einige Schuljungen, von denen einer auf dem Schoß eines andern saß, der ihn herzte und liebkoste, als ob er ein Mädchen wäre. Ich versuchte, dem Ganzen keine Beachtung zu schenken, aber Cameron wollte mich unbedingt darauf aufmerksam machen und amüsierte sich köstlich. Ich lachte mit ihm, empfand es aber als unerquicklich. Ein Isländer versuchte um alles in der Welt, mit uns ins Gespräch zu kommen. Er war groß und dürr und hatte einen Hut auf, den abzunehmen er nicht nötig fand. Der Hut und die eingefallenen Backen verliehen ihm ein besonders zwielichtiges und abstoßendes Aussehen. Braune Rinnsale troffen ihm aus der Nase. Er hatte einen ungeheuer hässlichen Mund mit fauligen Zähnen und verbreitete starken Mundgeruch, während er sich tief über mich herabbeugte und nuschelnd auf mich einredete. Die Augen konnte ich unter der Schwärze der Hutkrempe nicht erkennen. Mich ekelte vor seinem Geruch, und ich versuchte, sein wirres Gerede, das er mit vielen Gebärden begleitete, so wenig wie möglich zu beachten. Trotzdem verstand ich ihn gut genug, um zu begreifen, dass er mir ein Pferd verkaufen wollte, und er leierte einen unverständlichen Stammbaum herunter, der mich wohl davon überzeugen sollte, dass es sich um ein besonders kostbares Tier handele. Ich schüttelte heftig den Kopf. Im nächsten Augenblick war er verschwunden, als ob ihn die Erde verschluckt hätte, und ich atmete erleichtert auf.

Vor der Kneipe hatten sich eine Menge Leute versammelt, die darauf zu warten schienen, eingelassen zu werden. Einige standen im Kreis und verfolgten irgendeine Art von Unterhaltung. Als wir die Sache genauer untersuchten, stellte sich heraus, dass sich dort zwei Betrunkene prügelten. Die Zuschauer unternahmen keinen Versuch, die beiden auseinanderzubringen, sondern feuerten im Gegenteil die Raufbolde noch kräftig an und stießen Freudenrufe aus, wenn es einem gelang, dem andern einen tüchtigen Hieb zu versetzen. Ich war nicht in der Stimmung, so etwas mit anzusehen, und sagte das meinen Freunden. Als wir uns entfernten, begegneten wir einem alten, äußerst verwahrlosten Mann mit einer ganzen Meute junger Burschen auf den Fersen, die alle aus einem Munde miauten. Hólm erklärte mir, dieser Mann heiße Jón und werde »Miez-Miez« genannt.

Plötzlich hörten wir einen Tumult in der Gaststätte, und als wir uns umdrehten, sahen wir, wie die Leute drinnen mit aller Kraft dabei waren, die Fenster zu zerschlagen. Dann sahen wir die beiden Russen, mit denen wir vorhin gesprochen hatten, in hohem Bogen aus dem Fenster fliegen. Sie wurden von einigen jungen Isländern verfolgt, die nicht aufhörten, auf sie einzuschlagen. Schließlich kam auch noch ein Tisch herausgeflogen, der sofort zu Schlagholz zerkleinert wurde.

Wir zögerten einen Moment, beschlossen dann aber, dass diese Männer ihren Streit allein austragen mussten. Als wir den Platz Austurvöllur im Herzen der Stadt überquerten, fanden wir dort eine Unzahl von Pferden vor und Zelte, aus denen ein wahrhaft abscheuliches Grölen drang. Hólm behauptete, es sei Gesang. Bauern waren in die Stadt gekommen, um Handel zu treiben und sich einen vergnügten Tag zu machen.

Es ist eine merkwürdige Stadt und auf keinen Fall das, was ich mir unter einem isländischen Dorf vorgestellt hatte.

Aufstand gegen die Atomstation
Halldór Laxness

Das Nachtessen

Die netten Männer aus Amerika kommen, wenn es schon auf Mitternacht zugeht, sie legen ihre Mäntel nicht mehr in der Diele ab, sondern gehen direkt hinein zum Hausherrn; und wenn sie in der Diele auf die Dienstboten treffen, klopfen sie uns auf den Rücken und ziehen Zigaretten und Kaugummi aus der Tasche. Für gewöhnlich bleiben sie nur kurz. Wenn sie gegangen waren, kam der Premierminister, wie zuvor, dann kamen noch ein paar Minister, der Direktor des Schafseuchenschutzes, einige Parlamentsabgeordnete, Großhändler und Richter, der bleigraue, traurige Mann, der eine Zeitung herausgab, in der stand, dass wir das Land verkaufen müssten, die Bischöfe, der Direktor der Lebertranhärtung. Sie hatten oft nächtelange Sitzungen, sprachen leise miteinander und gingen erstaunlich nüchtern.

Doch nach den heimlichen, aber würdevollen nächtlichen Besuchen wichtiger Leute hier bei uns in diesem Teil der Straße geschah es stets, dass tags darauf am anderen Ende der Straße andere, öffentliche und weit weniger würdevolle Besuche abgestattet wurden, wie auch immer das zusammenhängen mochte; da wollte die Bevölkerung den Premierminister besuchen. Das Anliegen der Leute war immer dasselbe: Ansprachen an den Premierminister zu halten oder ihm Petitionen zu überreichen, in denen er beschworen wurde, das

Aufstand gegen die Atomstation

Land nicht zu verkaufen; die Hoheitsrechte nicht abzugeben; nicht zuzulassen, dass sich die Ausländer hier eine Atomstation für den Atomkrieg bauten; Jugendvereine, Schulen, der Studentenverein, der Straßenkehrerverein, die Frauenvereine, der Verein der Büroangestellten, der Künstlerverein, der Reiterverein: Im Namen Gottes, unseres Schöpfers, der uns das Land geschenkt hat und will, dass wir es behalten, und es wurde keinem weggenommen, verkauft nicht dieses unser Land, von dem Gott will, dass wir es behalten; wir bitten Sie, Herr Premierminister.

Es herrschte Unruhe in der Stadt, die Menschen liefen mitten am Tag von ihrer Arbeit weg und scharten sich voller Schrecken in Gruppen zusammen oder sangen »Island, Land der Felsenbuchten«, Leute, von denen man so etwas nie erwartet hätte, kletterten irgendwo hinauf und hielten Reden über dieses eine Thema: Ihr könnt uns immer noch mehr Steuern aufbürden; ihr könnt Firmen betreiben, die die ausländischen Waren, die wir bei euch kaufen, um viele Tausend Prozent verteuern; ihr könnt für jeden im Land zwei Kneifzangen und zehn Ambosse kaufen und portugiesische Sardinen für den ganzen Devisenvorrat der Nation; ihr könnt die Krone nach Belieben abwerten, wenn es euch gelungen ist, sie wertlos zu machen; ihr könnt uns hungern lassen; ihr könnt uns aufhören lassen, in Häusern zu wohnen – unsere Vorväter wohnten nicht in Häusern, sondern in Erdhaufen, und waren trotzdem Menschen; alles, alles, alles, nur dies eine nicht: nicht die Hoheitsrechte des Landes abgeben, für deren Wiedererlangung wir siebenhundert Jahre gekämpft haben, wir beschwören Sie, Herr Premierminister, bei allem, was diesem Volk heilig ist, machen Sie nicht unsere junge Republik zu einem Anhängsel einer Atomstation; nur das nicht, nur das nicht; alles, nur das nicht. Wenn am anderen Ende der Straße solche Besuche stattfanden, wurden bei uns sorgfältig alle Türen abgeschlossen und die gnädige Frau sagte: Die Vorhänge an den Südfenstern zuziehen.

Eines Abends, als die Tage schon sehr kurz waren, gab es etwas Neues im Haus: Ausländische und einheimische Gäste wurden gemeinsam zu einem Fest eingeladen. Es war kein Abendessen, sondern ein Nachtessen. Die Gäste kamen gegen neun Uhr, lauter Männer in Gesellschaftskleidung, und bekamen Cocktails, während sie sich begrüßten; an Essbarem gab es amerikanische Sandwiches, Zunge, Hähnchen und Salate, mit den dazugehörigen Weinen, dann leckere Nachspeisen; die Leute aßen im Stehen; schließlich wurde in einem Topf Punsch heiß gemacht und Whisky und Gin angeboten. Eigens bestellte Serviermädchen bedienten, in der Küche standen gelernte Köchinnen. Die Amis gingen früh, und bald, nachdem sie fort waren, begannen die isländischen Größen »Lustig waren Männer« und »Über kalten Wüstensand« zu singen. Gegen Mitternacht erzählten die Serviermädchen draußen in der Küche, dass die Männer angefangen hätten, sie zu betatschen, während sie ihnen einschenkten. Etwas später gingen die Mädchen nach Hause, und die Männer schenkten sich selbst nach. Im Laufe der Nacht wurden die Männer immer betrunkener, und Zangen half dem Hausherrn, die zu stützen, die nicht mehr allein stehen konnten, oder sie hinaus in die Autos zu tragen. Als das Fest vorbei war, sagte man mir, ich solle Gläser und Geschirr und alles, was übrig geblieben war, aus dem Zimmer schaffen, Flecke abwischen, Aschenbecher leeren und Fenster aufmachen. Da war niemand mehr da außer dem Premierminister, der völlig betrunken in einem Sessel zusammengesunken war, und dem nüchtern gebliebenen Tausendkünstler der Firma Snorredda, der ihm immer nachschenkte. Der Hausherr hatte sich in sein Arbeitszimmer gesetzt und blätterte in einer ausländischen Zeitschrift, die Verbindungstür stand offen.

Die Kommunisten, sagte der Premierminister. Die verfluchten Kommunisten. Ich liebe sie. Ich werde sie umbringen.

Hör mal gut zu, mein Freund, sagte sein Schwager, ohne aus der Zeitung aufzublicken. Du denkst daran, dass wir morgen frühzeitig aufstehen und zu einer Ausschusssitzung müssen.

Und wir dürfen nicht vergessen, dass die Unabhängigkeit der Nation jetzt davon abhängt, dass Island seine Gebeine bekommt, sagte Zweihunderttausend Kneifzangen.

Feiglinge. Kommt, wenn ihr es wagt, sagte der Premierminister.

Alle Zeitungen müssen mit vereinten Kräften für die Gebeine eintreten, sagte Zangen. Auch die Kommunisten. Vor allem aber die Geistlichkeit.

Warum ich das Land verkaufen will?, sagte der Premierminister. Weil mir das mein Gewissen gebietet, und hier erhebt der Minister drei Finger seiner rechten Hand. Was ist Island für die Isländer? Nichts. Nur der Westen ist wichtig für den Norden. Wir leben für den Westen, wir sterben für den Westen; einen Westen. Kleinstaaten – Scheiße. Der Osten wird ausgelöscht werden. Der Dollar wird bestehen.

Mein Freund, wir wollen lieber nicht laut denken, sagte Doktor Bui Arland. Wir sind nicht allein. Wenn wir sprechen, kann missverstanden werden, was wir denken; und sogar verstanden werden, wovor uns Gott bewahren möge.

Ich will mein Land verkaufen, brüllte der Premierminister; alles für dies eine. Sie können mich an den Haaren durch die ganze Stadt schleifen –

Freund, sagte der Doktor.

Du kannst dich selber am Arsch lecken, sagte der Premierminister. Selbst wenn sie mich auf dem Platz vor dem Parlament öffentlich auspeitschen und mich aus der Regierung zum Teufel jagen, ich werde trotzdem mein Land verkaufen. Selbst wenn ich mein Land verschenken muss, wird der Dollar siegen. Ich weiß, Stalin ist ein intelligenter Mensch, aber gegen den isländischen Premierminister wird er nicht ankommen.

Und selbst wenn die ganze Nation ihren Lieblingssohn verrät, so hat er doch mich zum Freund, sagte Zangen.

Wo sind die ganzen Leute, sagte der Premierminister, der plötzlich entdeckte, dass die Gäste gegangen waren. Kurz darauf stieß er die Gläser um, stand auf und reckte sich; es war erstaunlich, wie gut er das konnte, die Aufgeblasenheit steckte diesem kleinen, dicken Mann offensichtlich im Blut, sie war das Letzte, was ihn in diesem Leben im Stich ließ: In Wirklichkeit war der Mann so betrunken, dass nur noch sein innerstes Wesen von ihm übrig geblieben war. Zangen stützte ihn beim Gehen und setzte ihm den Hut auf, und der Mann wiederholte sich wie sein eigenes Echo, während er durch die Diele und den Windfang hinausging: Ich bin der Premierminister. Stalin ist nicht so intelligent wie ich. Der Dollar wird siegen.

Der Doktor, sein Schwager und Kompagnon in der Firma Snorredda, begleitete ihn und Zangen zur Haustür. Das Fest war zu Ende. Sie fuhren weg, und der Hausherr sah mich lächelnd an.

Mein Schwager ist ein wundervoller Mensch, sagte er; und macht manchmal Spaß, wenn er einen Schwips hat. Wir können das glücklicherweise vergessen; und brauchen auch nicht davon zu erzählen, wenn wir wieder einmal zu einer Zellensitzung gehen.

Er ist in Wirklichkeit ein sehr ehrlicher Mensch, sagte der Doktor; zumindest, wenn er etwas getrunken hat. In Wirklichkeit ist kein Mensch ehrlich, wenn er nüchtern ist; in Wirklichkeit kann man kein Wort von dem glauben, was ein nüchterner Mensch sagt. Ich wünschte, ich wäre betrunken.

Er nahm seine Brille ab, putzte sie sorgfältig, setzte sie dann wieder auf und sah auf die Uhr: Zeit, zu Bett zu gehen, mehr als das. Doch als er schon auf dem Weg zur Treppe war, drehte er sich mitten in der Diele plötzlich um und setzte das Gespräch fort: Wie ich schon sagte, man kann sich ganz auf ihn verlassen: Wenn er dir nüchtern etwas im Vertrauen schwört und dir sein Ehrenwort gibt, dann weißt du, dass er lügt. Wenn er dreimal beim Namen seiner Mutter öffentlich schwört, dann meint er ganz einfach das Gegenteil von dem, was er schwört. Was er aber betrunken sagt, das meint er, selbst das, was er schwört.

Ich streckte mich und fragte: Will er das Land verkaufen?

Ist Ihnen Politik nicht gleichgültig, sagte er.

Doch, sagte ich. Aber ich musste plötzlich an meinen Vater denken; und an die Kirche. U-und an den Bach.

Was für einen Bach, sagte er erstaunt.

Den Bach –

Ich wollte noch mehr sagen, aber ich konnte es nicht. Ich sagte nichts mehr. Ich drehte mich um.

Ich weiß nicht, was Sie meinen, sagte er, und ich spürte, wie er mich ansah, obwohl ich ihm den Rücken zuwandte.

Hm, sagte er. Gute Nacht.

Der Eid

Die Menge drängte immer dichter zum Parlamentsgebäude hin, die Reden werden immer hitziger, man singt »Island, Land der Felsenbuchten« bis zum Übelwerden, Schreie und Rufe gellen: Wagt das Parlament nicht zu antworten?

Die Abgeordneten saßen in einer nichtöffentlichen Sitzung und berieten darüber, ob man Reykjavík oder irgendeine andere Bucht im Land, die sich ebenso gut als Atomstation für einen Atomkrieg eignete, abtreten sollte, und da die Angelegenheit noch nicht annähernd ausdiskutiert war, wussten sie nicht, was sie der singenden Volksversammlung der Straße antworten sollten. Den einen oder anderen Abgeordneten sah man durch das Balkonfenster herausspähen, mit einem Lächeln, das unbekümmert wirken sollte, aber eine verkrampfte Grimasse war. Schließlich hielt das Eingangstor des Parlamentsgebäudes dem Druck der Menge nicht mehr stand, und die Leute begannen, in das Gebäude hineinzudrängen. Da endlich öffnete sich die Tür auf dem Parlamentsbalkon, und ein kleiner, dicker, aufgeblasener Mann trat heraus und stellte sich in Positur. Er wartet, bis die Leute unten »Island, Land der Felsenbuchten« zu Ende gesungen haben, wirft sich in die Brust, rückt den Knoten seiner Krawatte zurecht, streicht sich mit der Hand über den Nacken, führt zwei Finger an die Lippen und räuspert sich.

Und dann erhebt er seine Stimme. Isländer, in tiefem, ruhigem, landesväterlichem Ton; und die Leute werden still, respektieren das Schauspiel. Isländer, noch einmal spricht er dieses Wort, das so klein ist in der Welt und doch so groß, und jetzt erhebt er über dem Volk drei Finger zum Himmel und spricht dann langsam und fest mit langen Pausen zwischen den Wörtern, den Eid:

Ich schwöre, schwöre, schwöre – bei allem, was diesem Volk von Anbeginn heilig war und ist: Island wird nicht verkauft werden.

Der Schiffbruch der Businesswikinger
Halldór Guðmundsson

Hallgrímur Helgason, 50, ist einer der bekanntesten isländischen Schriftsteller und gleichzeitig ein anerkannter bildender Künstler. Auf Deutsch sind von ihm drei große Romane erschienen: *101 Reykjavík,* die Laxness-Satire *Vom zweifelhaften Vergnügen, tot zu sein* und zuletzt der groteske Gesellschaftsroman *Rokland.* Wie hat er den 6. Oktober 2008 erlebt?

»Wir hatten ja das ganze Wochenende darauf gewartet, dass etwas passieren würde. Alle warteten darauf, was im Parlament entschieden würde. Wir warteten auf die entscheidenden Maßnahmen, und dann kam Geir Haarde am späten Sonntag endlich nach draußen und sagte, dass nichts unternommen werden müsste. Das hat ihm keiner abgenommen. Ich konnte in dieser Nacht nicht schlafen, ging auf und ab und habe dann auf Facebook ein Gedicht veröffentlicht, in dem es darum ging, dass ich auf einem großen Dampfer in der dritten Klasse bin, und wir steuern direkt auf einen Schiffbruch zu, aber die Mannschaft ist einfach sturzbetrunken. Am Montag hatte Geir dann seinen Fernsehauftritt und hielt diese Ansprache, die ich nicht kapieren konnte. Dabei habe ich ja die politische Entwicklung seit zehn Jahren recht gut verfolgt. Ich verstehe vielleicht nicht viel von Wirtschaft, aber ich versuche wenigstens, mich auf dem Laufenden zu halten, aber diese Rede habe ich gar nicht verstanden. Nur zum Schluss, als er sein berühmtes *Gott segne Island* sagte, wusste ich, dass etwas Dramatisches bevorstand. Danach ließ man Þórgerður Katrín Gunnarsdóttir (damals Kultusministerin und Vizevorsitzende der Unabhängigkeitspartei) seine Rede quasi übersetzen, und dann wusste man, er sprach von Notstandsgesetzen.«

»Mit der Öffentlichkeitsarbeit hatte es Geir Haarde ja nie so recht, und deswegen war er eigentlich ein schlechter Premierminister – er konnte mit den Leuten nicht reden. Ein Premierminister muss ja nicht nur seine Arbeit verrichten, er braucht auch Charisma und die Fähigkeit, den Menschen seine Gedanken zu vermitteln, aber das konnte er überhaupt nicht. Er wirkte wie gelähmt.«

Wie hat Hallgrímur die Jahre des Aufschwungs erlebt? Es war ja eine Zeit, in der er seinen Ruf als Autor bei der Bevölkerung sehr gefestigt hatte.

»Eigentlich war man einer Art von psychischer Gewalt ausgesetzt. Ich fühlte mich immer, als ob ich einfach der Letzte wäre, weil ich nichts von Geld verstand, und dabei war ich doch zum anerkannten Autor geworden. Ich habe keine Aktien und keine Wertpapiere und hatte von diesen Dingen wirklich keine Ahnung. Ich kapierte nicht, wie die isländischen Geschäftsleute das *Magasin du Nord* in Kopenhagen kaufen konnten, obwohl ich sie insgeheim dafür bewunderte. Dabei tat ich wirklich mein Bestes, um auf dem Laufenden zu bleiben. Du weißt schon: Eigenkapital und EBITA, Subprime-Kredit und wie das alles heißt. Wer die Nachrichten im neuen Jahrhundert verfolgt hat, hat sich ja ein sieben Jahre langes Wirtschaftsstudium eingehandelt, wenn man so will. Verstanden hat es keiner, mitgemacht haben irgendwie alle.«

»Ich weiß noch, wie ich vor ein paar Jahren die Haupteinkaufsstraße von Kopenhagen entlangging und ein paar Isländer getroffen habe, die stolz meinten: Jetzt gehen wir in ›unsere Geschäfte‹. Die Businesswikinger gaben uns ein neues

Gefühl, und dieses Gefühl haben wir voll ausgekostet; endlich waren wir wer. Als ob wir die elende Geschichte Islands endlich hinter uns gelassen, die Vergangenheit endlich vertrieben hätten. Das isländische Trauma – vorbei und vergessen. Schluss mit Vulkanausbrüchen und Hungersnöten und Pestepidemien. Und dann dieser Schock, und wir alle stürzen wieder ab ins alte Island, wir befinden uns wieder mitten in den Büchern von Halldór Laxness, in der *Islandglocke:* alles, was er darin über Unabhängigkeit und Freiheitskampf geschrieben hat, ist wieder wahr, und wir hatten gedacht, wir seien das alles los. Das macht einen wirklich depressiv.«

»Man sah ja diese neureichen Jungs; einer von ihnen war mit mir verwandt, und ich bin mit ins neue Haus, als er es der Familie zeigte, und es war, als ob man in eine Raumstation käme. Man strich mit der Hand die Wand entlang, und sofort gingen die Lichter an, und sein Range Rover sah immer aus, als hätte ihn noch nie ein Mensch gefahren. Es war, als lebten diese Leute auf einem anderen Planeten. Man las über ihre Privatjets und ging dann ins Geschäft, um Leberkäse zu kaufen. Dabei dachte ich: Solche Leute müssen sicher nie Leberkäse kaufen. Dazu sind sie zu weit weg von der Wirklichkeit. Und gleichzeitig habe ich mich dafür geschämt, dauernd Leberkäse kaufen zu müssen, während sie in ihren Privatjets am Champagner nippten.«

»Aber klammheimlich hat man sich auch gefreut. Wir ließen die alte Gesellschaft hinter uns, da kamen neue Menschen mit Geld und neuer Freiheit. Plötzlich gab es zum Beispiel eine Zeitung, die noch verbreiteter war als *Morgunblaðið*. Diese Neureichen kamen mir vor wie Napoleon, der uns von dem alten König befreit, aber dann erweist sich Napoleon als noch schlimmer als der frühere König.«

»Es musste ja ein Ende haben. Aber das sagt man im Nachhinein, ich sah das Ende nicht kommen. Ich erinnere mich an das Gefühl, dass Geld keine Rolle spielte. Man ging einfach in ein Einkaufszentrum, um sich zum Beispiel ein Tivoli-Radio zu kaufen, und es machte nichts. Man tat, als ob man jede Menge Geld hätte, als würde es nie ausgehen. Jetzt sieht alles wieder ganz anders aus. Man wird zu Freunden nach Hause eingeladen, und die haben vielleicht beim Bäcker einen schönen Kuchen gekauft, und man denkt, wow, plötzlich ist das alles wieder etwas wert, und man hat wieder Respekt vor Geld, was einem eigentlich abhandengekommen war. Viele sagten schon lange, bald müssen wir landen, aber es klang irgendwie, als säßen wir *im* Flugzeug und es ginge nur darum, ob die Landung hart oder weich ausfallen würde. Als Lehman Brothers in Konkurs ging, habe ich darüber nur gelacht, so was konnte doch bei uns nicht passieren!«

Hallgrímur war wegen seines Engagements vor und während der Kochtopfrevolution viel in den Nachrichten. Wie kam es dazu?

»In den ersten zwei Wochen standen wir alle unter Schock, waren innerlich gelähmt, hatten vielleicht sogar ein schlechtes Gewissen, weil wir alle auf unsere eigene begrenzte Art und Weise teilgenommen, die Businesswikinger bewundert hatten. Wir wussten nicht richtig, an wen wir uns wenden sollten. Meine Leute (die Sozialdemokraten) waren ja an der Regierung, sollten wir gegen die Regierung protestieren? Langsam richtete sich der Fokus auf Davíð Oddsson, der die Übernahme von Glitnir orchestriert hatte. Es gibt dieses Foto aus der Nacht der Glitnir-Übernahme, mit Davíð Oddsson am Steuer seines Autos, der Premierminister auf dem Beifahrersitz und der Finanzminister auf dem Rücksitz. Das war mir sehr zuwider, der Mann hätte da schon längst seinen Rücktritt erklärt haben müssen. Aber er zog seine Show weiter ab, und unser Handelsminister war nicht einmal dabei – er war auf dem Land bei der Kartoffelernte.«

»Es dauerte einige Zeit, bis mein Zorn eine Richtung fand. Auf den ersten Demos habe ich keine Slogans wie ›Inkompetente Regierung‹ gerufen, ich konnte das nicht, da waren ja meine Leute mit dabei, und ich kannte sie. Neuwahlen waren meine Devise. Wir alle wollten der Regierung Zeit für Rettungsversuche geben. Im Dezember, als nichts passiert und kein Mensch zurückgetreten war, war ich ziemlich frustriert, und die Samstagsdemonstrationen auf Austurvöllur reichten mir nicht mehr aus. Ich wollte einen Artikel schreiben, der sollte ›Stuhl vor die Tür‹ heißen. Ich wollte einen Stuhl nehmen und mich vor das Haus des Premierministeriums setzen. Meine Vision war, dass daraufhin immer mehr Leute kämen mit ihren Stühlen, und am Ende wären Tausende da, und so würde ein Riesendruck entstehen. Aber es war kalt, und bald war Weihnachten, und ich dachte, vielleicht bin ich der Einzige, der kommt. Also wollte ich erst mal abwarten. Und über Weihnachten wollte ich sowieso meine Schwester besuchen, die in Afrika in der Entwicklungshilfe arbeitet. Danach wollte ich loslegen.«

»Als ich aus Afrika zurückkam, war den Leuten der Kragen geplatzt. Dennoch hat es mich überrascht, wie viele Leute jetzt auf einmal auf Austurvöllur standen, als das Parlament wieder zusammentreten sollte; immer mehr gesellten sich dazu, in der Nacht wurde dann der Weihnachtsbaum angezündet, und es gab diese Krawalle und letztlich kein Weg mehr zurück.«

»Drei Monate lang hatte die Regierung die Forderungen der Bevölkerung einfach ignoriert. Ingibjörg Sólrún Gísladóttirs Krankheit spielte natürlich auch eine Rolle. Erst haben wir sie geschont, und dann hat sie uns ja auch Versprechen gemacht. Oddný (Sturludóttir, Hallgrímurs Exfrau und Stadträtin in Reykjavík für die Sozialdemokraten) war beispielsweise im Dezember bei ihr zu Hause, es war ein Treffen mit frustrierten jungen Frauen in der Partei, die diese Regierungsbeteiligung nicht mehr mittragen konnten, und dann sagte Ingibjörg Sólrún, Davíð sei noch vor Ende der Woche weg. Aber nichts geschah, und auch Neujahr verstrich ergebnislos. Später, als ein allgemeines Desaster drohte, hat Ingibjörg Sólrún dann auf brillante Weise den Regierungswechsel zuwege gebracht und sich danach aus der Politik zurückgezogen, das muss man ihr lassen.«

Hatte die Krise Auswirkungen auf sein Privatleben?

»Ich hatte ja das ›Glück‹, dass meine Frau und ich am 16. Januar, dem Tag, als ich aus Afrika zurückkehrte, beschlossen, uns zu trennen! Wir waren drei Wochen voneinander getrennt gewesen und wussten danach, jetzt ist Schluss. Schon möglich, dass unsere Trennung etwas mit den herrschenden Zuständen zu tun hatte, vielleicht wurde sie dadurch beschleunigt. Meine Frau ist mir in die Welt der Politik entschwunden. Das ist eine harte Welt. Nicht vielen Ehepaaren gelingt es, zwei Karrieren zu verbinden. Wenn ich zum Beispiel den ganzen Tag in meinem Atelier verbracht hatte beim Schreiben und Malen, mutterseelenallein, hatte sie währenddessen auf diversen Sitzungen vielleicht dreihundert Menschen getroffen. Wenn wir beide dann nach Hause kamen, hatten wir sehr unterschiedliche Bedürfnisse. Sie wollte ihre Ruhe haben, ich wollte so viel Trubel wie möglich um mich haben. Dazu kam noch der Altersunterschied von siebzehn Jahren, die sie jünger ist.«

»Wir beschlossen uns also zu trennen, und vier Tage später fing die Kochtopfrevolution an, und ich war heilfroh darüber. An Arbeit war in meinem Zustand sowieso nicht zu denken, und dann ist es ja herrlich, eine ganze Woche auf alles Mögliche klopfen zu können, um Krach zu machen, und es wimmelte ja auch nur so von schönen Mädchen auf den Demonstrationen. Es war so eine Art vorrevolutionäre Situation, Lagerfeuer loderten, und die Menschen tanzten auf der

Straße und sangen und schrien sich heiser. Vielleicht war der Höhepunkt erreicht, als wir vor dem Parlament standen, und jemand rief, das Parlament sei menschenleer, und wir liefen dann alle zum Sitz des Premierministers. Dort angekommen, sahen wir Geir im Auto sitzen, neben seinem Chauffeur, und es waren weder Polizei noch Leibwächter da. Ich habe mich gebückt und mit flacher Hand ans Fenster geschlagen; ich dachte, ich lächle, wahrscheinlich habe ich grimmig ausgesehen. Sekunden später kam ein wütender Leibwächter und hat alle weggescheucht. Das Auto stand sicher zwei Minuten eingekeilt in der Menschenmenge und wurde auch mit Eiern beworfen; es war eine Art von Befriedigung für die Demonstranten. Kein Mensch wollte dem Premierminister etwas antun, aber er sollte die Wut zu spüren bekommen. Im Grunde waren die Demonstranten nie richtig in die Nähe der Macht gekommen, es stand ja immer nur die Polizei vor dem Parlamentsgebäude. Die man ansonsten nur bewundern kann, denn sie hat immer Ruhe bewahrt. Zu verdanken war das wohl vor allem ihrem zurückhaltenden Polizeichef, Stefán Eiríksson. Ein sehr guter Mann, den ich auf Hrísey kennengelernt habe, wo wir beide Sommerhäuser haben. Hut ab vor der Polizei.«

Hallgrímurs Klopfen am Auto des Premierministers schaffte es sofort in die Schlagzeilen der isländischen Internetmedien. Hat er seinen Auftritt bereut?

»Eigentlich sofort danach. Ich hatte Angst, das Fernsehen hätte das Ganze mitbekommen. Ein Fotograf hat es dann doch geknipst, und natürlich fand ich das Foto nicht schön, denn ich hatte ja die Kontrolle verloren. Aber alles in allem geht es in Ordnung, denn das Geschehnis war symptomatisch für einen Zustand, der sich vier Monate lang zugespitzt hatte.«

»Ich kannte Geir ja persönlich, er hatte zum Beispiel *Vom zweifelhaften Vergnügen, tot zu sein* gelesen, und er schien mir immer eher ein gutmütiger Mensch zu sein. Aber dort war er in seiner Funktion als Premierminister, das war nichts Persönliches, und mit den Mächtigen sollte man nie Mitleid haben. Ich kann den Premierminister nicht bemitleiden, weil sein Auto mit Eiern beworfen wird oder jemand gegen die Fensterscheibe klopft. Ich selber wurde komischerweise ein bisschen wie Böddi, die Hauptperson meines Romans *Rokland*. Auch er will ja am Schluss mit dem Premierminister abrechnen. Ich sah sogar ein bisschen aus wie er, im Mantel und mit Stiefeln, und so kam ich am Abend in eine Fernsehsendung, ohne Make-up, so wie er auch im Buch, und das war schon ein bisschen erschreckend.«

»Bei mir persönlich brach dann alles zusammen. Erst die Trennung von meiner Frau, und dann gab mein Auto auf, und schließlich empörte man sich im Internet darüber, dass ich ein Staatsstipendium bekommen hatte. Zwei Tage später hielt ich meine eigene Privatdemonstration vor dem Haus der Unabhängigkeitspartei ab, als dort die Parteiführung tagte. Am Anfang stand ich ganz alleine, am Ende waren wir um die zwanzig Leute. Es war eigentlich ganz lustig, weil wir so nahe dran waren, ich klopfte ihnen fast ins Gesicht, um ihren Rücktritt zu verlangen, und sie haben mir dann auch geantwortet. Der Justizminister Björn Bjarnason sagte zum Beispiel, geh doch einfach nach Hause, um zu schreiben. Aber dann kam jemand ins Freie und meinte zu mir, Geir Haarde habe gerade erklärt, er werde demnächst zurücktreten, denn man habe bei ihm Krebs festgestellt, und daraufhin hörten wir sofort auf mit dem Ganzen. Ich glaube, alle Beteiligten haben von diesen Demonstrationen gelernt, sowohl die Protestler wie auch die Polizei.«

»Als die Regierung dann zurücktrat, haben wir das als einen Riesensieg empfunden und auf Austurvöllur getanzt. Die Meldung kam erst am Samstag und erwies sich schnell als Falschmeldung, und als sie dann tags darauf bestätigt wurde, hatten wir schon gefeiert. Die Proteste hatten keine Anführer und verliefen vollkommen spontan. Das ging über SMS und Facebook und so weiter.«

»Aber vielleicht sind wir, die protestiert haben, nicht unbedingt die Richtigen, um ein neues Island aufzubauen. Es waren zum Beispiel viele Künstler dabei, die gut kritisieren können, möglicherweise aber keine wirklich konstruktiven Vorschläge haben. Es hat mich überrascht, wie gut das Gefühl war, die Regierung endlich los zu sein. Ich war überglücklich, als Jóhanna Sigurðardóttir Premierministerin wurde. Und auch die Links-Grünen sind durch die Regierungsbeteiligung um viele Jahre gereift. Jahrelang war ich unter den Autoren ziemlich allein mit meinem Engagement, aber nach dem Kollaps meldeten sich immer mehr zu Wort, und das fand ich schön.«

»Keine Ahnung, was die Zukunft bringt, aber ich bin froh, dass wir gelandet sind, dass wir wieder festen Boden unter den Füßen haben. Jetzt ist Schluss mit all diesem Quatsch, jetzt wollen alle wieder Leberkäse und Lammfleisch und Wollstrümpfe und gute Bücher lesen, die alten isländischen Werte eben. Ich hoffe nur, dass die neue Situation keine Dämonen wie Nationalismus und das Verlangen nach starken Führern mit sich bringt.«

Island – das Maß aller Dinge?
Ursula Spitzbart

Von etwaigen Finanzkrisen einmal abgesehen … Der Isländer ist überzeugt von seinen Qualitäten – und denen seines Landes. Bescheidenheit ist nicht seine Stärke, wenn es um die eigenen Reihen geht. Alles, was aus Island kommt, ist Spitzenklasse. Von vornherein und ohne darüber nachzudenken. Es ist einfach so. Nehmen wir nur einmal die Musik als Beispiel. Sobald irgendein neues Album auf dem Markt erscheint, das auch nur im Entferntesten isländisch ist, wird es in unsere private Musiksammlung integriert. Seine Qualität ist dabei sekundär. Ich vermute, das ist nicht nur in unserem Heim so. Deshalb wird hier auch Durchschnittsgeplänkel schnell hochgepriesen und es glänzt mit Verkaufszahlen. Allein die Tatsache genügt, dass etwas der Heimatinsel entsprungen ist, um jedes objektive Beurteilungsvermögen automatisch abzuschalten. Island, Island über alles! Dabei spielt es überhaupt keine Rolle, ob es sich um Musik, Schokoladenkonfekt oder Kartoffeln handelt. Meine Insulaner sind so eingenommen von der Qualität alles Isländischen und damit von sich selbst, dass sie schlicht und einfach jegliches Relativieren vergessen.

Isländer müssen auch alles zuerst haben, was neu auf dem Markt ist. Fast automatisch steigt dadurch die Wahrscheinlichkeit, auf den vordersten Statistikplätzen dieser Welt zu rangieren. Und dort wollen sich meine Insulaner sehen. So oft wie möglich. Was ihr Interesse an Neuheiten betrifft, hatten sie ihre Nasen offenbar schon immer ziemlich weit vorne. Mit großem Vergnügen schmökerte ich wieder einmal in meinem Island-Merianheft von 1972, aus einer Zeit, in der die Nation dort oben im Norden für die Außenwelt wirklich noch geradezu jungfräulich war. Bereits dieses »Frühwerk« bescheinigt den Isländern eine »sehr moderne Einstellung zu Wissenschaft und Technik«. Sie interessierten sich »außerordentlich für alle neuen Erfindungen auf dem Gebiet der Technologie. In ihrer Begeisterung für Neuheiten steckt fast etwas Kindliches. Sie sind in einem Ausmaß ›neuheitensüchtig‹, dass sie fast keinen neuen Artikel unausprobiert lassen. Dies gilt vor allem für Küchengeräte und Autos. Die meisten Häuser Islands verfügen über fast sämtliche elektrische Haushalts- und Küchengeräte, die der internationale Markt anbietet.«

Diese Grundaussage ist bis heute uneingeschränkt gültig, auch wenn als Maß für den technischen Stand der Dinge sicherlich nicht mehr Mixer und Co gelten, sondern vielmehr die modernen Mittel der Kommunikation.

Handys! Allein in unserem Haushalt liegen vier Stück auf Abruf. Von meinem eigenen, bewährten Exemplar abgesehen, hat mein lieber Gefährte gleich drei dieser Dinger parallel im Einsatz. Er will auf die langen Listen der eingespeicherten Rufnummern Zugriff haben. Ein elfjähriger Bub erzählte mir mit größter Selbstverständlichkeit, er habe bereits seit seinem fünften Lebensjahr ein Handy, und das gegenwärtige sei sein sechstes. Als auf Island 3G, der Mobilfunkstandard der dritten Generation, seine Ankunft ankündigte, sah man dieser Revolution mit entsprechend großer Spannung entgegen. Wie erwartet, wurde sie mit offenen Armen in Empfang genommen.

Mich wundert es nicht, dass Island fast ebenso viele registrierte Handys wie Bewohner aufzubieten hat.

Auch was die Nutzung von Computer und Internet betrifft, führt Island die Statistiken an. Die Insel ist in Sachen Online-Banking europaweit führend, berichtet zum Beispiel das deutsche Nachrichtenmagazin *Focus*. Über siebzig Prozent der Gesamtbevölkerung – zu denen auch ich gehöre – bezahlen ihre Rechnungen per Mausklick. Im Vergleich zur Nordinsel machen das nur halb so viele Deutsche. Überhaupt sei Island die am besten vernetzte Nation in Europa, klärt *Eurostat* auf, das Statistische Amt der Europäischen Gemeinschaft. Mehr als achtzig Prozent aller isländischen Privathaushalte haben Internetzugang. Im Vergleich dazu kommen die EU-Länder insgesamt auf einen Schnitt von gut fünfzig Prozent. Auch das Weltwirtschaftsforum bestätigt den skandinavischen Ländern Plätze unter den Top Ten, wenn es um die Nutzung der neuesten Informations- und Kommunikationstechnologie geht. Angeführt wird die Liste von Dänemark und Schweden. Mein Inselvölkchen rangiert auf Rang acht.

»Isländer bekommen den neuen *Harry Potter* zuerst!«, lässt die Presse stolz verlauten, als sich das siebte und letzte Zauberbuch im Sommer 2007 ankündigt. Tatsächlich sind sie die ersten Europäer, die es in Händen halten dürfen. Wegen der Zeitverschiebung, dank der Island im Sommer eine Stunde hinter Großbritannien her ist. Somit darf der Verkauf der englischsprachigen Originalversion auf Island schon um 23:01 Uhr Ortszeit steigen. Auf so etwas muss man erst einmal kommen!

Das isländische Phallusmuseum wurde zum sonderbarsten Museum der Welt gekürt. Der Museumsleiter Sigurður Hjartarson ist stolz auf die Auszeichnung, ist sie doch äußerst werbewirksam.

»Erste Bananenernte auf Grönland«: Oh Schreck, beinahe hätte diese Zeitungsmeldung den Rekord in Sachen nördlichste Bananenpflanzung der Welt gestürzt. Doch auf den zweiten Blick darf aufgeatmet werden. Das grönländische Narsaq, in dem besagtes Bananengewächshaus steht, liegt südlicher als Islands »Gewächshausstadt« und Bananenpflanzungszentrum Hveragerði. Da ist Island gerade noch einmal davongekommen! Das weltbeste Trinkwasser, die weltbesten Geländewagen, die weltbesten Lebensmittel.

Gibt es etwas, was ich persönlich auf dem Spitzenrang ansiedle? Natürlich! Manches lässt sich selbst nach objektivster Betrachtung nicht übertreffen. Ganz abgesehen vom besten Mann der Welt liebe ich isländische Tomaten. Tatsächlich, die gibt es, erzeugt im geothermisch beheizten Gewächshaus und das ganze Jahr über so wunderbar tomatig im Geschmack, dass sich die winterlichen Wassertomaten aus der Restwelt verstecken können. Auch Lammfleisch und Fisch sollen schon so manchen notorischen Verweigerer überzeugt haben. Auf isländische Outdoorbekleidung und Wollerzeugnisse lasse ich genauso wenig kommen. Wo sie recht haben, haben sie recht, meine Insulaner.

»Lebensbedingungen am besten auf Island«. Diese beglückende Erkenntnis resultierte zumindest im Jahr 2007 noch aus einer Untersuchung, die im Rahmen des *United Nations Development Programme (UNDP)* regelmäßig vom Stapel läuft. Jahr für Jahr werden in mehr als hundertsiebzig Staaten Faktoren wie Lebenserwartung, Bildungsgrad oder Produktivität unter die Lupe genommen. Island musste sich seinen ersten Platz zwar mit Norwegen teilen, das ist aber leicht zu verschmerzen, denn die Nordländer halten fest zusammen.

Im gleichen Jahr konnte Island außerdem den höchsten *Happy Planet Index* von dreißig Europastaaten für sich behaupten, das geradezu revolutionär neue Maß für menschliches Wohlergehen. Es gibt kund, wie gut oder schlecht es einem Land gelingt, große Lebensfreude und hohe Lebenserwartung zu erzielen, ohne dabei die natürlichen Ressourcen zu sehr zu strapazieren. Diese drei Faktoren gehen in die Berechnung des *Happy Planet Index* ein. Noch ein bisschen α und β dazu, und es wird richtig mathematisch. Je höher das Rechenergebnis – also der *Happy Planet Index* – ausfällt, desto besser gelingt es dem Land, ein vernünftiges Gleichgewicht zwischen Input und Output zu finden. Auf gut siebzig Punkte brachte es Island auf der Skala von null bis hundert, gefolgt von Schweden, Norwegen und der Schweiz. Deutschland schaffte es auf den mittleren fünfzehnten Platz.

Die Aussage, dass Isländer die glücklichsten Menschen der Welt sind, hat es auf internationaler Ebene zu erstaunlich hohem Bekanntheitsgrad gebracht. Ein zehnjähriges Mädchen, das im Flugzeug neben mir saß, fragte mich einmal danach. Was denn eigentlich der Grund dafür sei? Donnerwetter, hatte es sogar dieses junge Menschlein schon irgendwo aufgeschnappt! Die Kleine brachte mich wirklich ins Grübeln. Erstaunlicherweise schneiden Inselstaaten generell in der glücklichen *Happy Planet Index*-Berechnung über dem Durchschnitt ab. Malta ist auch so ein Fall. Ob das an einem stärkeren Zusammengehörigkeitsgefühl liegt, das besonders kleinen Staaten zu eigen ist? An dem inneren Zwang, sich gemeinsam gegen den Rest der Welt zu stellen? Und ganz einfach die Überzeugung zu haben, einzigartig zu sein? Ich persönlich genieße solche Erfassungen zum Glück mit Vorsicht. Äußere Faktoren wie Lebenserwartung oder Bildungsgrad mögen sich zwar noch so schön messen lassen, Glück und Lebensqualität sind nach meinem Dafürhalten aber doch in allererster Linie individuell und nicht mit nackten Zahlen erfassbar. Jeder muss sein Glücksniveau für sich selbst definieren. Aber warum nicht, lassen wir es doch so stehen: Isländer sind am glücklichsten. Wenn es glücklich macht!

Sollte es mit einer absoluten Spitzenleistung einmal nicht

klappen, wenden die findigen Insulaner eine einfache, aber äußerst wirksame Umrechnungsmethode an: Nackte Zahlen werden auf die Gesamtbevölkerung umgelegt. »Pro Kopf« heißt das Zauberwort. Weltrekord auf Isländisch. Und schon kommt Klein plötzlich groß raus. Manchmal sogar so groß, dass man sich vor Ehrfurcht verneigen möchte. Nehmen wir Miss World, von denen Island drei und Deutschland eine zu bieten hat. Islands gut 300 000 Einwohner stellen dabei Deutschlands 82 Millionen in den tiefsten Schatten. Denn nach der Pro-Kopf-Methode entfallen auf einen isländischen Bürger zirka 270 deutsche und folglich auf eine isländische Schönheitskönigin 270 aus deutschen Reihen. Letztendlich bräuchte Deutschland also drei mal 270, das heißt 810 Miss World, um mit Island mithalten zu können! Noch eindrucksvoller fällt die Rechnung aus, wenn sie mit den USA gemacht wird. Dort entsprechen einem Isländer ziemlich genau 1000 Bürger. Möchten die USA in Sachen Schönheit so erfolgreich sein wie Island, müssten sie 3000 Damen krönen. Das sind wirklich Ausmaße, die ihresgleichen suchen.

Im Jahr 2007, als ich meine isländische »Relativitätstheorie« zu Papier brachte, erschien in der isländischen Tageszeitung *Fréttablaðið* ein zweiseitiger Artikel: »Die Kunst, Isländer zu sein, oder wie es ist, Weltspitze zu sein, wenn die Welt davon nichts weiß«. Sein Autor ist Hallgrímur Helgason, seines Zeichens Schriftsteller, Künstler und – ganz wichtig – Isländer. Als einer, der es wissen muss, nimmt er seine eigene Nation auf die Schippe und trifft den Nagel auf den Kopf. Ich will für den Leser ein paar Zeilen daraus übersetzen. »In der Mitte des vergangenen Jahrhunderts kamen Isländer darauf, dass in Amerika Cola getrunken wird. Wir beschlossen, das Gleiche zu tun. NUR MEHR. Wir haben nicht einmal ein Jahrzehnt gebraucht, um die Amis unter den Colatisch zu trinken. Und wir sind noch dabei. Wir trinken mehr Cola als die US-Amerikaner und essen mehr Hamburger als sie. Wir verdrücken mehr Pizzas als die Italiener und bestellen mehr Caffè Latte als sie. Wir haben mehr Computer als die Japaner. Benutzen das Internet mehr als die Bewohner von Hongkong. Leben länger als die Kaukasen. Haben mehr Schönheitsköniginnen als Venezuela. Und haben mehr Sex als die Franzosen. Außerdem feiern wir länger als die Spanier und singen viel mehr als die Schweden ... Jetzt ist unser Selbstbild derart, dass wir die Besten der Welt sind. Die kleinste Nation der Welt sitzt ganz oben auf allen internationalen Statistiken. Die meisten Autos pro Haushalt. Die meisten Computer pro Haushalt. Die meisten Schriftsteller pro Haushalt. Nur raus damit. Wir sind in allem am besten. Der Haken daran ist nur, dass niemand davon weiß. Wir sind die unsichtbaren Weltmeister.«

Richtig, der Rest der Welt weiß dummerweise nichts von Islands Spitzenleistungen. Deshalb werden sie jedem Unwissenden unter die Nase gerieben, so oft es nur geht. Eine Position als Reiseleiter beispielsweise bietet hierfür ein geradezu ideales Forum. Ob mein Stefán dieser Beschäftigung deshalb mit so großer Passion nachgeht? Manchmal kann ich ihn begleiten. Dann warte ich nur darauf, dass er mit seiner Islandlobpreisung beginnt. Enttäuscht werde ich nie, da er es wie so viele Insulaner einfach nicht lassen kann. Meistens beginnt eine derartige Aufklärungskampagne mit einem »*Wir* sind/haben ...«. Wie schön, wenn man sich so uneingeschränkt identifizieren kann mit seiner Nation! »*Wir* haben die schönsten Frauen und stärksten Männer!« Das weiß der Leser bereits. Damit aber noch nicht genug, denn zu ihnen gesellte sich mit Bobby Fischer ein Schachweltmeister. Anfang der 1970er entschied er das Match gegen Boris Spassky für sich, das – tata! – in Reykjavík stattfand. Von 2005 bis zu seinem Tod im Januar 2008 lebte Bobby als isländischer Staatsbürger in der Landeshauptstadt. Seine letzte Ruhestätte fand er ebenfalls auf der

Insel. Moment... Miss World, stärkster Mann der Welt und Schachweltmeister? Wenn das nicht jeden Inselbewohner zu der Vorstellung verleitet, selbst schön, stark und intelligent zu sein!

Abschließend bleibt nur noch eines zu ergründen. Was ist die Ursache für dieses Überall-vornan-sein-Wollen, für diese Rekordsucht? Aus isländischer und damit erster Hand wurde ich über die tieferen Beweggründe dieses Verhaltens aufgeklärt: »Wir leiden an einem Minderwertigkeitskomplex, der kleinen Staaten eigen ist, insbesondere kleinen Inselstaaten. Wir müssen uns selbst und anderen beweisen, dass wir mithalten können mit dem Rest der Welt. Und das müssen wir ständig tun.« Der Schriftsteller Arnaldur Indriðason spricht in seinem Krimi *Menschensöhne* von »unerträglichen Minderwertigkeitskomplexen, die dann... mit Größenwahn kompensiert werden«. Im konkreten Fall meint er damit zwar die Bevölkerung im nördlichen Island. Ich wage es aber, diese Aussage zu verallgemeinern, und das ohne schlechtes Gewissen.

Was kann ich bissig sein! Ob ich mir solche Gedanken lieber verkneifen sollte, um es mir mit »meinen« Isländern nicht zu verscherzen? Aber ich stehe mit meiner Meinung nicht allein auf weiter Flur, sondern bekomme sie sogar aus isländischem Munde immer wieder bestätigt. Ja, selbst mancher Insulaner sieht sich in diesem Licht. Das ist dann allerdings meist einer, der eine Weile im Ausland verbracht hat, was bekanntlich den eigenen Horizont erweitert. »Wir Isländer sind nicht normal«, bekundet Stefán, ohne mit der Wimper zu zucken. Eine junge Isländerin, schätzungsweise Ende zwanzig und frisch zurückgekehrt vom Aufenthalt in der Fremde, konnte sich mir gegenüber gar nicht genug auslassen über ihre eigene Nation. »Isländer sind total durchgeknallt. Wie ist es nur möglich, hier zu leben!?«

Es tut immer gut, über den eigenen Tellerrand zu schauen und der Heimat für eine Weile den Rücken zu kehren. Die Angelegenheit von außen zu betrachten, an die Relation des eigenen Landes zum Rest der Welt erinnert zu werden. Das gilt freilich nicht nur für Island. Doch meine Insulaner legen eine besonders ausgeprägte Weltgewandtheit an den Tag. Sie liegt ihnen im Blut. In den vergangenen zwei Jahrzehnten weilten immerhin 55 000 Isländer zumindest für ein paar Jahre im Ausland. Das enthüllen die abendlichen Fernsehnachrichten im Mai 2007. Auf der Zielland-Hitliste ganz oben stehen mit drei Vierteln die übrigen Nordländer, allen voran Dänemark. Dort lebten im Jahr 2006 insgesamt 7600 Isländer. Von der »alten Hauptstadt« Kopenhagen geht aus historischen Gründen offensichtlich immer noch große Anziehungskraft aus. Insgesamt dürften an die 30 000 isländische Staatsbürger irgendwo im Ausland verstreut sein.

Bevor ich zum ersten Mal nach Island kam, begegneten mir auf meinen ausgedehnten Reisen niemals Isländer, zumindest nicht bewusst. Aber jetzt, wo ich in dieser Sache sensibilisiert und obendrein der Landessprache mächtig bin, tauchen sie plötzlich überall auf. Ich ertappe mich sogar dabei, explizit nach ihnen Ausschau zu halten. Flughäfen – besonders die Wartehallen und Gepäckausgabezonen – sind für derartige Aufeinandertreffen naturgemäß besonders prädestiniert. Doch auch mitten im schönsten Kurzurlaub im bayerischen Alpenvorland machte ich auf einer Alm eine Isländerin ausfindig, die eine internationale Konferenz dorthin verschlagen hatte. Natürlich musste ich mich mit ihr unterhalten. Die Dame war anfangs ganz verwirrt durch die Enthüllung, dass hier noch jemand ihrer Sprache mächtig war. Sie deutete auf die traumhaft schöne Landschaft und meinte nur: »Ich verstehe nicht, dass irgendjemand Island schön finden kann!« Ein andermal stieß ich in Schottland auf einen starken Isländer, der auf Highland Games seine Kräfte bewies. Keine Frage, dass er meine volle moralische Unterstützung hatte. Denn auf Islandfernem Boden fühle ich mich den Bewohnern meiner Wahlheimat besonders verbunden.

Insgesamt sechs von sieben »ausgewanderten« Isländern kehren irgendwann in die Heimat zurück. Viele davon sind dann um zweierlei reicher: um einen nicht isländischen Partner und die Erkenntnis, dass Island eben doch nicht das absolute Maß aller Dinge ist.

Trocknen, Pökeln, Wässern, Vergraben – Isländische Fischgerichte

Wolfgang Müller

Zwar ist das Meer um Island reich an Fisch und anderen Meeresfrüchten. Dennoch wird die traditionelle isländische Küche oft als bescheiden und gewöhnungsbedürftig beschrieben. Vor allem Knechte und Bauernsöhne waren es, die mit offenen Booten und primitiven Gerätschaften über Jahrhunderte entlang der Küste den gefahrvollen Fischfang betrieben. Erst Mitte des 19. Jahrhunderts entwickelte sich eine größere Fischerei. Im Zuge der Industrialisierung gab es, besonders in Großbritannien, einen wachsenden Bedarf an billigen Lebensmitteln. Diese Nachfrage verschaffte Island Zugang zu größeren Absatzmärkten, ermöglichte den Aufbau von Hafenanlagen und förderte kollektiv organisierte Fang- und Verarbeitungsmethoden. Auf dieser Basis entstanden größere Siedlungen, was in Reykjavík zu einem bis heute ungebremsten Bevölkerungswachstum führte.

Spezielle Konservierungs- und Zubereitungsmethoden spielen in der bäuerlich geprägten Küche Islands eine wichtige Rolle. So können die Isländer selbst aus Fischgräten ein Gericht herstellen: In saure Molke eingelegt, werden Kabeljaugräten aufgelöst und so lange gekocht, bis ein dicker Brei entsteht. So zu finden im *Ný matreiðslubók*, dem *Neuen Kochbuch* von Andrea Nikólína Jónsdóttir aus dem Jahr 1858. Doch nicht nur die langen Winter und die früher schlechte Fangausrüstung haben diese karge Küche hervorgebracht. Auch ein gewisser Aberglaube hatte daran Anteil. Delikatessen wie den Seewolf warf man jahrhundertelang wieder zurück ins Meer. Niemand wollte hässliche Meeresmonster verspeisen. Irgendwann entdeckten die Isländer dann schließlich die Nouvelle Cuisine. Ein Tiefseefisch mit Riesenkopf und Glupschaugen, einst wertloser Beifang, bekam den schönen Namen Grenadier, wurde zur Delikatesse und zum Exportschlager. Der 1998 im Alter von sechsundneunzig Jahren verstorbene isländische Nobelpreisträger Halldór Laxness hat diese Wandlung eines Monsters zur französischen Delikatesse in seinem Roman *Die Litanei von den Gottesgaben* mit ätzendem Humor beschrieben.

Immer schon stellten die Isländer Trockenfisch, *harðfiskur*, her. In der 1618 in Basel erschienenen *Cosmographia – die Beschreibung der ganzen Welt* spricht der Gelehrte Sebastian Münster davon, dass die Reichtümer der Insel Island aus gedörrten Fischen bestünden, von denen die Einwohner solche Haufen zusammentrügen, dass sie größer als Häuser seien: »Aus den dörren Fischen machen sie Mehl / darauß sie ihr Brodt backen.«

Zwar wurde aus Trockenfisch in Island nie Brot gebacken, aber da Getreide auf der Polarinsel nicht gedieh, war Brot aus importiertem Getreide seinerzeit eine seltene Speise. Offensichtlich sahen Besucher vom Kontinent im luft- und windgetrockneten *harðfiskur* – zumal, da er vor dem Verzehr mit Butter bestrichen wurde – so etwas wie das Brot der Isländer.

Trockenfisch, auch Hart- oder Stockfisch genannt, gehört auch heute noch zu den Delikatessen, die auf den isländischen Tisch kommen. Zu seiner Herstellung werden vorwiegend ausgenommener und geköpfter Schellfisch und Kabeljau, in den letzten Jahrzehnten vermehrt auch Seewolf und Heilbutt genommen. Getrocknet wird während der beginnenden Wintermonate auf großen Holzstellagen. Diese stehen im Freien, oft auf flachen Lavafeldern, oder sind in speziellen offenen Gebäuden untergebracht, wo der Wind freien Durchzug hat und eine Abdeckung vor Regen schützt. In der keimfreien, sauberen Luft trocknen die Fische innerhalb von wenigen Wochen so weit aus, dass sie geräuschvoll im Wind klappern. Stockfisch wird so hart, dass er nach alter Tradition vor dem Genuss mit dem Hammer oder einer Keule weich geklopft werden muss. Schon seit 1300 exportieren die Isländer ihre Spezialität nach Spanien und Italien. Heute reist isländischer *harðfiskur* bis nach Afrika: Algerien und Nigeria sind die größten Abnehmer.

Mittlerweile wird *harðfiskur* auch in Räumen getrocknet, die mit großen Ventilatoren ausgestattet sind. Nach vier bis sechs Wochen wird er abgehängt und ins Kühllager gebracht.

Als beste Sorte gilt *harðfiskur* aus Schellfisch, *ýsa* genannt. Einige Feinschmecker schwören auf *steinbítur*, Gefleckten Seewolf, der zum Trocknen mitsamt seiner Haut in vier Zentimeter große Stücke geschnitten wird. Seine Färbung geht ins Gelbe. Er ist fetter und würziger als der rein weiße Schellfisch. Ein Kilo frischer Fisch schrumpft im Laufe der Herstellung zu luftigen hundertfünfzig Gramm *harðfiskur*. Nicht zuletzt deshalb ist der Snack ziemlich teuer.

Zum Essen werden Streifen des *harðfiskur* in Faserrichtung abgerissen und mit Butter bestrichen. Nachdem sich die trockenen Fasern im Mund langsam mit Butter und Speichel vermengen, ergibt sich allmählich eine sehr protein-, vitamin- und eisenreiche Mahlzeit. Der englische Schriftsteller Wystan Hugh Auden hatte nicht so viel Geduld bzw. Speichel und befand, dass die zähere Art wie Zehennägel, die weichere dagegen wie Hornhaut von den Fußsohlen schmecke.

Wegen des hohen Nährwertes ist *harðfiskur* besonders beliebt als leichter Proviant für anstrengende Wanderungen. In nahezu jeder isländischen Küstensiedlung gibt es kleine Familienbetriebe, die die Kunst des Fischtrocknens pflegen. Als besonders wohlschmeckend gilt der *harðfiskur* von Halldór Mikkaelsson aus dem 400-Einwohner-Ort Flateyri an der Nordwestküste. Außerdem hält sein Trockenfisch einen speziellen Höhenrekord: Durch eine Himalaja-Expedition gelangte er bis auf den Gipfel des Mount Everest: 8848 Meter über dem Meeresspiegel. »So hoch ist isländischer Trockenfisch noch nie gekommen!«, stellt Halldórs Frau Guðrún Óskarsdóttir fest und fügt hinzu: »Jedenfalls nicht zu Fuß.« Der Bergsteiger, der Halldórs Snack auf den Mount Everest trug, heißt Hallgrímur Magnússon und lebt in Reykjavík: »Wir haben auf unserer Tour zum Gipfel zwanzig Kilo *harðfiskur* mitgenommen. Er schmeckt immer, selbst wenn man keinen Appetit hat. Außerdem hilft er bei Magenproblemen. Für mich ist *harðfiskur* so etwas wie eine Süßigkeit, ein Candy.«

Einzigartig und nur auf Island bekannt ist fermentierter Eishai, *kæstur hákarl*. Die fingerdicken, milchig-weißen Würfelchen aus dem Fleisch des Eishais werden in kleinen durchsichtigen Plastikbechern angeboten. Zu finden sind sie in den Vitrinen der Fischgeschäfte und mancher Supermärkte. Auf den ausländischen Besucher wirkt *hákarl* wegen des extrem strengen, durchdringenden Ammoniakgeruchs und der glitschigen, speckartigen Konsistenz eher gewöhnungsbedürftig.

Den bis zu sieben Meter langen Eishai, aus dessen zäher Haut früher Schuhe gemacht wurden, fangen Fischer im Sommer vornehmlich in den Ost- und Westfjorden. Als einer der ergiebigsten Fangplätze gilt der Nordosten um Vopnafjörður. Früher, als die Bauern mit ihren kleinen Booten in den stürmischen Nordatlantik ausfuhren, galt Haifang als eine der gefährlichsten Unternehmungen. Das kräftige Tier wurde mit großen Angeln gefangen. Als Köder dienten in Rum getränkte Seehundsköpfe. Heute wird der Eishai vermehrt mit Netzen aus dem Meer geholt.

Aus den Bauchseiten des Fisches werden sechzig bis siebzig Zentimeter lange faustdicke Stücke herausgeschnitten, die nach alter Tradition einige Monate gewässert, im feuchten Boden und in Flussbetten vergraben werden, bis sie in den Verwesungszustand übergehen. Da der Hai giftig ist, ist diese Prozedur nötig, um das Ammoniak aus seinem Fleisch herauszubekommen. Wie lange er vergraben bleibt, scheint das Geheimrezept jedes Fischers zu sein. Die Angaben schwanken zwischen vier Wochen und mehreren Monaten. Unvorsichtiger Genuss habe früher nicht wenige Menschen das Leben gekostet, berichtet der österreichische Regierungsrat Jos. Cal. Poestion in seinem 1885 erschienenen Werk *Island – Das Land und seine Bewohner nach den neuesten Quellen*.

Heute reifen die ausgegrabenen und auf das Maß von 30 × 15 × 15 Zentimeter geschnittenen *hákarl*-Stücke in großen, geschlossenen Plastikboxen noch einige Zeit vor sich hin, bevor sie aufgehängt und getrocknet werden. Die *beita* genannten Stücke sollten dann innen eine weiße und außen eine braune Färbung haben. Einzelne Bauern, Fischer und Privatpersonen sind es, die die Konservierung und Herstellung des *hákarl* betreiben, als Nebenverdienst. Und nicht zuletzt, um eine alte Tradition zu erhalten. Ähnliche Behandlung wie der Eishai erfährt auch der Rochen, der edelgefäult zu einer Spezialität namens *skata* heranreift.

Seit drei Jahrhunderten wird *hákarl* mit dem traditionellen isländischen Kümmelschnaps *brennivín*, dem »schwarzen Tod«, als Snack verzehrt. Als ausgesprochener *hákarl*-Liebhaber bezeichnet sich der Lehrer Sigurður Hjartarson aus Húsavik: »Bis Anfang dieses Jahrhunderts wurde auch Öl aus der Haileber gewonnen. Das Haiöl, *lýsi* genannt, ist sehr gesund für die Augen und das Herz und wurde zudem als Lampenöl verwendet.«

Einzig *saltfiskur* wird in Island industriell und in großem Umfang hergestellt. Gepökelter Kabeljau wird nach Portugal, Spanien, Italien und Griechenland exportiert. In den Mittelmeerländern ist er als *bacalao* Grundlage für unzählige Gerichte und eine beliebte Fastenspeise. Róbert Agnarsson, Generalsekretär von Sif, einem der größten Exportunternehmen für Salzfisch: »Unser *saltfiskur* liegt hier vierzehn Tage im Salz und wird nach der Verschiffung am Ankunftsort nachgetrocknet.« In den kühlschranklosen Jahrhunderten war der in der Hälfte gespaltene, gesalzene und zum Trocknen auf Steine gelegte Klippfisch der isländische Exportschlager. Als Gegengabe erhielten sie den hoch geschätzten spanischen Rotwein. Róbert Agnarsson: »Hierzulande wird wenig *saltfiskur* gegessen. Es gibt aber ein traditionelles Gericht mit Kartoffeln und Salzfisch, der dann in reichlich Lammfett schwimmt. Eine schwere Winterspeise ... vielleicht etwa so schwer wie Eisbein mit Kartoffeln und Sauerkraut.«

Hexen, Geister und Elfen –
Die unsichtbaren Bewohner
Urte Undine Frömming

Innerhalb der isländisch-skandinavischen Mythologie haben verschiedene Wirkkräfte, die in Naturräumen angesiedelt sind, eine besondere Bedeutung bei der ursprungsmythologischen Erklärung von Naturkatastrophen. Insbesondere Riesen (*tröll*) und Hexen oder Hexer (*galdramenn, galdrakonur*) werden für Naturkatastrophen, wie Vulkanausbrüche, Gletscherläufe und Erdbeben, verantwortlich gemacht. *Tröll* und *galdramenn* leben vorwiegend in Bergen beziehungsweise werden mit diesen gleichgesetzt und tragen den Namen der Berge, die sie bewohnen. Dies sind auf Island zum Beispiel Hekla, Katla oder Kráká, die zudem meist als nymphomanisch, zumindest lüstern, oft auch als kannibalisch beschrieben werden.

Auf dem Althing wurden vorwiegend Männer wegen Hexerei verurteilt, da Frauen scheinbar keine Form von Hexerei, wie wir sie aus anderen kontinentaleuropäischen Ländern, besonders auch aus Deutschland, kennen, praktiziert haben sollen. Aus dem Werk von Konrad Maurer, der ein halbes Jahr lang selbst auf Island alte isländische Sagen und aktuelle Berichte nach mündlicher Überlieferung aufgezeichnet hat, wird jedoch etwas ganz anders ersichtlich: Hexen beziehungsweise der Hexerei oder Zauberei verdächtigte Frauen wurden oftmals sofort und ohne Prozess hingerichtet; aus den Sagen kann auch auf Selbstmord geschlossen werden, wie der nachfolgend beschriebenen Sage zu entnehmen ist. Wolfsritte *(gandreið)* von Riesinnen werden schon in der älteren wie der jüngeren Edda erwähnt. Konrad Maurer hat von Magnús Grímsson schriftlich mitgeteilte Angaben zur Vorbereitung der Zauberritte erhalten, nämlich wie man Tote ausgräbt und aus ihrem Skelett ein Fluggeschirr herstellt.

Viele isländische Sagen, wie zum Beispiel die über die Hexe Katla oder die Riesin Kráka, veranschaulichen, wie sehr die Imagination von Hexenwesen und anderen Wirkmächten verknüpft ist mit topografischen Erklärungsmustern, die nicht nur Naturkatastrophen zu erklären versuchen, sondern auch eine Kosmogonie darstellen. Die Hexe, die im Althochdeutschen als *hagazussa,* Zaunhexe, und im Altnordischen als *túnriðr*, Zaunreiterin, bezeichnet wird, steht als Mittlerin zwischen zwei Welten: zwischen Wildnis und Zivilisation, zwischen Gott und Satan. Die Verteufelung der angeblich vor allem lüsternen, Männer sowie Babys mordenden Hexe wird berechtigterweise gemeinhin als Ergebnis des Bestrebens der christlichen Kirche, die weibliche Sexualität zu verdammen und ihren alleinigen Zweck in der Reproduktion zu sehen, gedeutet.

Die Geschichte der Hexe Katla, die in der Eyrbyggja saga beschrieben wird, ist noch heute auf Island lebendig. Am Straßenrand der Ringstraße von Vík nach Kirkjubæjarklaustur befindet sich ein touristisches Hinweisschild auf die »alte Hexe« Katla, den Vulkan im Gletscher Mýrdalsjökull.

Mindestens zwanzig historische Eruptionen, die die Eisdecke des Mýrdalsjökull sprengten und durch ihr Schmelzwasser die gigantische Ödnis der Sanderflächen im Süden Islands entstehen ließen, sind von Katla überliefert. Der Geschichte nach soll die Hexe Katla, eine Köchin im Kloster Þykkvabæjarklaustur, im Besitz eines Paars magischer Hosen gewesen sein, das es ihr ermöglichte, schnell und ohne jemals zu ermüden laufen zu können. Als eines Tages der Schäfer Barði heimlich ihre Hosen anzieht, um verloren gegangene Schafe wiederzufinden, bringt sie ihn kurzerhand um und versteckt ihn in einem Butterfass. Als nach einigen Monaten die Butter zur Neige geht und ihre Tat bald entlarvt scheint, flieht Katla in ihren Hosen zum Mýrdalsjökull und stürzt sich in eine tiefe Gletscherspalte. Kurz darauf bricht der Vulkan aus und eine gigantische Flut strömt in Richtung des Klosters und des Hofes Álftaver, was seit dieser Zeit immer wieder geschieht. Das Hinweisschild am Straßenrand verzichtet auf vulkanologische Fakten und gibt sich bezeichnenderweise auch heute noch mit dieser Erklärung aus der Eyrbyggja saga zufrieden, die eine ursprungsmythologische Erklärung von Vulkanausbrüchen und nachfolgenden Gletscherläufen darstellt.

In der Gegend des Mývatn, im Norden Islands, versuchte ich Auskunft über eine mögliche mythologische Bedeutung der beiden Berge Bláfjall und Sellandafjall zu bekommen. Mehrere Bewohner der Gegend, die ich befragte, versicherten mir, dass es eine Sage über eine Riesin gebe, die in dem Berg lebe, aber seltsamerweise wollte mir niemand, auch nach mehrmaligem Bitten, die Sage erzählen. Bis ich auf den achtzigjährigen Óli Kristjánsson traf, der von seinem Haus aus unmittelbaren Blick auf den Berg Bláfjall, den See Mývatn und den Fluss Kráká hat. Er erzählte mir allerdings nur den zweiten Teil der folgenden Sage, der im Gegensatz zum ersten Teil keine sexuellen Passagen enthält. Die Sage gibt eine ursprungsmythologische Erklärung der Überschwemmungen, von der die Gegend alljährlich heimgesucht wird. Den ersten Teil entnahm ich den Aufzeichnungen Jón Arnasons, aus denen gleichzeitig das konfliktträchtige Aufeinanderprallen von heidnischen und christlichen Vorstellungen hervorgeht.

Im Berg Bláfjall wohnte in einer Höhle, hoch oben in den Felswänden, eine nymphomanische Riesin namens Kráka, die regelmäßig Schafhirten oder Bauern aus der Umgebung entführte und in ihrer Höhle einsperrte. Manchmal gelang es diesen, zu entkommen; oft wurden sie von Kráka, nachdem sie sich genügend mit ihnen vergnügt hatte, verspeist. Einmal hatte Kráka ein großes Weihnachtsfest geplant und sich bei den Vorbereitungen die größte Mühe gegeben. Das Einzige, was nach ihrer Meinung noch fehlte, war Menschenfleisch. Sie machte sich daher am Heiligen Abend auf den Weg zu den Siedlungen. Kráka findet jedoch, da alle zur Messe nach Skútustaðir gegangen waren, nur die leeren Gehöfte vor. Sie macht sich auf den Weg zur Kirche nach Skútustaðir. Die Riesin öffnet die Kirchentür und versucht, einen Mann von der hintersten Kirchenbank zu ziehen, doch der Mann setzt sich zur Wehr und bald kommt ihm die ganze Gemeinde zu Hilfe und versucht, ihn Kráka aus den Armen zu reißen, bis schließlich die Kirchenwand einstürzt. Kráka spricht daraufhin zwei Flüche aus: Zum einen sagt Kráka, dass die Kirchenwand nie wieder stehen soll; was sich bis heute bewahrheitet hat, denn die Südwand der Kirche ist seither vom Einsturz bedroht. Im zweiten Fluch schwört Kráka Rache an den Bauern, indem sie ihnen einen Schaden zufügt, den sie nie wieder vergessen werden. Auch dieser Fluch sollte sich, in Form einer regelmäßig wiederkehrenden Flut, bestätigen.

Kráka stieg von ihrem Berg herab und sammelte kleine Bäume (die nur noch selten in dieser Gegend wachsen), Sträucher, Grassoden und Steine und schleifte dieses gigantische Bündel hinter sich her, quer durch das ganze Land und durch die Siedlungen bis zu der Stelle, wo der Fluss Laxá, der heute Kráká genannt wird, in den See Mývatn abfließt. Den Haufen aus Bäumen, Gestrüpp, Grassoden und Steinen lässt die Riesin an dieser Stelle liegen und spricht dazu den Fluch, dass der

Fluss so lange den von ihr geebneten Weg durch diese Senke fließen soll, wie die Region besiedelt ist. Der Fluss solle regelmäßig die Weiden und Wiesen der Gemeinden verwüsten, und nur dasselbe Material, aus dem auch der Haufen bestand, könne die Fluten dämmen. Schließlich soll der Fluss den gesamten oberen Teil der Region verwüsten. Noch heute fließt der Fluss durch dasselbe Flussbett ab. Bei Überschwemmungen wird jedes Jahr fruchtbarer Boden abgetragen und das Weideland mit Sand überschwemmt. Eine Reihe von Gehöften ist von diesen Überschwemmungen sehr bedroht. Die Flussübertretungen versucht man mit demselben Material, wie es Kráka in ihrem Haufen verwendete, einzudämmen. Der Buschbestand am See des Mývatn hat stark abgenommen, sodass es kaum noch Material für die Dämme gibt. So könnte sich der Fluch Krákas schon bald erfüllen, wenn nicht der Schutz der Vegetation vorangetrieben wird.

In dieser isländischen Sage sind, neben der erwähnten ursprungsmythologischen Erklärung, Hinweise zum Schutz vor Naturkatastrophen, und zwar der Bau von Dämmen aus Bäumen, Büschen, Grassoden und Steinen sowie Betretungstabus der vulkanisch aktiven Zone (die gefährliche Riesin Kráka wohnt hier), enthalten. Die historische Tiefe der Vorstellungen von Wesen mit übernatürlichen Wirkkräften und ihre topografische Kennzeichnung von Ereignissen, insbesondere das Aufeinanderprallen von heidnischen Vorstellungen und Christentum, werden deutlich durch eine Vielzahl von weiteren Sagen, wie zum Beispiel die über *Tröllkonugröf*, das »Grab der Unholdin«, das sich in der Landssveit in der Nähe des Berges Búrfell befindet.

Hier soll Þuriður Arngeirsdóttir begraben liegen, die von den Leuten aus dem Þjórsárdalur wegen ihrer Zaubertätigkeiten gesteinigt werden sollte. In dem benachbarten Berg Næfurholtsfell soll die Schwester – nach meinen Befragungen war es die Freundin – der Hexe liegen. Folgender Bericht über die beiden Hexen ist ein Kennzeichen dafür, dass aus zauberkundigen Frauen in der neueren Sage Riesinnen geworden sind. Þuriður wollte einst von ihrer Schwester einen großen Kochtopf leihen. Diese fragte, wozu sie ihn brauche, und erhielt zur Antwort: »Um darin den Mann dort zu kochen, welcher gerade seines Weges daherzieht.« Da sagte die Schwester: »Das kannst du nicht; er hat Koth im Munde.« Sie meinte damit, dass der Wanderer gerade beim Abendmahl war und dadurch gegen alle Angriffe der Riesen geschützt sei.

Interessant ist nun, wie die Berge entdämonisiert wurden. In den Aufzeichnungen Maurers finden sich mehrere Hinweise auf die Weihung von Bergen durch Bischöfe, zum Zwecke der Austreibung böser Geister und Hexen.

Immer wieder wird von einer Hand berichtet, die aus den Felsen herauskommt und die Seile der Männer durchschneidet, die Vogeleier suchen. Es wurde durch diese Sagen auf die akuten Gefahren, denen sich die Vogelei-Sammler aussetzten, hingewiesen. Der Bischof Þorlákur weihte beispielsweise verschiedene Berge, um sie von »Unholden freizuhalten«. Als er den Berg Látrafjall im Westlande weihte, rief eine Stimme aus dem Berg: »Einhversstaðar verða vondir að vera« (»irgendwo müssen doch auch die Bösen sein«). Der Bischof ließ eine kleine Stelle am Berg ungeweiht, die seitdem Heiðnafjall (Heidenberg) genannt wird und die lange Zeit niemand zu betreten wagte; die es dennoch wagten, kamen zu Tode. Ganz anders und ganz aufgeklärt verhielt sich dahingegen der Pfarrer Séra Páll Tómasson von der Insel Grímsey, der bemerkte, dass das Abschneiden der Seile durch einige scharfe Felsvorsprünge bewirkt wird. Er ließ sich kurzerhand an einem Seil herab und schlug den Felsvorsprung mit einem Hammer ab.

Im Mittelalter und selbst noch über das Mittelalter hinaus

galt der Vulkan Hekla (Hella/Helheim = Hölle) als Eingang zur Hölle. Casper Pencer (1525–1662) gibt folgende straftheologische Deutung eines Vulkanausbruchs: »Der Hekla-Berg lässt aus seinem unermesslichen Abgrund oder vielmehr aus der Tiefe der Hölle das jämmerliche und wehklagende Geheul Schluchzender ertönen, sodass man die Stimmen der Weinenden auf viele Meilen überall vernimmt. Wenn irgendwo auf der Welt Schlachten geschlagen oder blutige Taten vollbracht werden, dann lässt sich aus dem Hekla-Berg entsetzliches Lärmen, Geheul und Gewinsel hören.«

Troisfontaines verwies im 13. Jahrhundert auf eine Überlieferung aus dem Jahre 1134:

Am Tage der Schlacht von Fodrig sah man auf Island, wie über dem Hekla-Berg die Seelen der Getöteten in Gestalt schwarzer Vögel herumflogen und schrien: »Wehe, wehe, was ist geschehen?« Andere ungeheure Vögel, die wie Greifen aussahen, jagten die Seelen vor sich her und in die Schlünde der Hölle hinein.

Im Zuge von Reformation und Aufklärung, und insbesondere durch die Erstbesteigung im Jahre 1750, verschwand zwar weitestgehend das christliche Höllenmotiv; doch noch heute sagt man in Schweden, wenn man jemanden verwünscht: »Scher dich zur Hekla!« Während des Zweiten Weltkriegs wurde der Vulkan jedoch als Motiv für Verbrechen, Chaos und Leid von isländischen Künstlern und Intellektuellen wieder aufgegriffen.

Auf der isländischen Insel Heimaey wurde der Ausbruch des isländischen Vulkans Helgafell in verschiedenen Diskursen im Jahre 1973 kausal mit einer Müllhalde im Vulkankrater in Zusammenhang gebracht. Der isländische Maler Guðni Hermannsson malte am Abend des 22. Januar 1973 ein Bild mit dem Titel »The Hermit«, das den Ausbruch des Vulkans Helgafell auf der Insel Heimaey darstellt. Am darauffolgenden Abend kam es zu einem der größten Ausbrüche des Vulkans. Alle fünftausend Bewohner der Insel mussten evakuiert werden. »The Revenge of Helgafell« betitelt Guðjón Ármann Eyjólfsson dieses Bild, in seinem Buch *Vestmannaeyjar Byggð og eldgos* (1973), da er es für möglich hielt, dass sich der Berg mit dem Ausbruch gegen eine Müllkippe zur Wehr setzte, die die Inselbewohner dort errichtet hatten. Eine zuvor durchgeführte Demonstration gegen die Müllhalde hatte keinen Erfolg. Nach dem großen Ausbruch wurde die Müllhalde verlegt; es zieren stattdessen mehrere Holzkreuze den zweiten entstandenen Krater.

Mit Island verbinden viele Europäer auch den Elfenglauben und tatsächlich existiert noch heute auf Island ein reger Glaube an das *huldufólk* (verstecktes Volk), wie Elfen *(álfar)* respektvoll genannt werden, um nicht durch die Anwendung ihres richtigen Namens Anstoß zu erregen. Bei den von mir durchgeführten Interviews im Jahre 2000 benutzten fast alle Interviewpartner/-innen den Begriff *huldufólk*. Im Gegensatz zur Kategorie der Riesen beziehungsweise Hexen, die als Entwurf einer Gegenwelt zur menschlichen Welt bezeichnet werden kann, ist die Kategorie der Elfen *(álfar)* und Zwerge *(dvergar)* weitestgehend eine idealisierte Parallelwelt, indem auf scheinbar ideale menschliche Lebensformen verwiesen wird, wobei auch hier Ambivalenzen auftreten und Elfen durchaus Unheil bringend sein können, wenn sie nicht genügend geachtet werden. Die isländische Regierung beschäftigt aus diesem Grund eine offizielle Elfenbeauftragte, Erlá Stefánsdóttir, deren medialer Rat, zum Beispiel bei größeren Bauvorhaben, eingeholt wird. Denn nicht selten sei es vorgekommen, dass ohne offensichtlichen Grund Baugeräte zu Bruch gingen, Bauarbeiter plötzlich krank wurden, unerklärliche Unfälle oder auch Naturkatastrophen passierten.

Die Unheil bringenden Aspekte der Elfen verhelfen ihnen sozusagen zum nötigen Respekt und sind damit Garant des Überdauerns dieses Glaubens. Konrad Mauer hat folgende Vorstellungen über Elfen gesammelt: »Die Elfen werden geboren wie die Menschen und sterben wie diese, nur dass ihnen eine ungewöhnlich lange Lebensdauer beschieden ist; sie essen und trinken und erlustigen sich gerne mit Musik und Tanz, zumal in festlichen Zeiten, wo man dann ihre Wohnungen weithin hell erleuchtet sieht. Sie haben ihr eigenes Vieh von ganz besonderer Güte, und zum Beispiel die alte Sigriðr zu Reykir im Hrútafjörðr sah oft ihre Schafe mit so vollen Eutern gehen, dass sie sie am Boden nachschleppten, und sie fahren auch wohl zum Fischen hinaus.«

Es wird sogar berichtet, dass die Elfen Gerichtshöfe haben. Bei Húsavik im Steingrímsfjörður, hoch oben auf einer steil abfallenden Klippenreihe, gibt es ein *álfaþing*. Mit einer Ausnahme ist die Vorstellung von Elfen durchaus menschenähnlich – sie haben keine Seele. So schreibt Jón Guðmundsson:

Hafa þeir bæði heyrn og mál
hold og blóð með skinni,
vantar ei nema sjálfa sál
sá er hlutrinn minni.

Sie haben sowohl Gehör als Sprache,
Fleisch und Blut samt Haut;
es fehlt ihnen nichts als die einzige Seele,
das ist der geringere Teil.

Die christliche Herkunftsgeschichte der Elfen weist auf die Verbannung des Schmutzigen, im übertragenen Sinn auch »Sündhaften« oder Unmoralischen hin:

Als einst Gott der Allmächtige bei Adam und Eva zu Besuch war, nahmen sie ihn freundlich auf und führten ihn überall im Haus herum. Sie zeigten ihm auch ihre Kinder. Er fragte Eva, ob sie nicht noch mehr Kinder hätten, aber Eva verneinte. Die Dinge lagen aber so, dass Eva ein paar Kinder noch nicht gewaschen hatte und sie sich schämte, Gott diese zu zeigen. Deshalb hatte sie sie versteckt. Das wusste Gott natürlich und er sagte: »Das, was vor mir versteckt wird, soll auch vor den Menschen verborgen bleiben.« Die schmutzigen Kinder wurden daher unsichtbar gegenüber gewöhnlichen Menschen und wohnten in Hügeln, Höhlen, in Löchern und große Steinen. Von ihnen stammt das *huldufólk* ab, während die Menschen von den Kindern abstammen, die Eva Gott gezeigt hatte. Menschen können nie die Elfen sehen, aber diese können die Menschen sehen und sich ihnen nach Belieben zeigen.

Der Historiker und Direktor der Elfenschule in Reykjavík, Magnús Skarphéðinsson, mit dem ich ein langes Interview führte, hat in siebzehn Jahren mehr als vierhundert Geschichten nach mündlicher Überlieferung aufgezeichnet. Unter den vierundfünfzig Prozent der isländischen Bevölkerung, die an das *huldufólk* glauben, gebe es eine geschätzte Anzahl von zehn Prozent, die mehr oder weniger regelmäßig Opfergaben für das *huldufólk* darbringen, insbesondere an christlichen Feiertagen.

Elfen tragen die traditionelle isländische Kleidung, sprechen je nach Region denselben isländischen Dialekt und leben hauptsächlich in Steinen, Felsen, Erdhügeln, Klippen und Schluchten, wie beispielsweise im Norden der Stadt Hafnarfjörður; hier haben sie eine eigene Schule, Kirche und sogar Kindergärten. Die Elfenkarte von Hafnarfjörður, 1990 von Erlá Stefánsdóttir gezeichnet, die nach eigener Aussage die Fähigkeit besitzt, Elfen zu sehen, lokalisiert Hunderte von Elfen, Zwergen und anderen versteckt lebenden Wesen mitten in der Stadt Hafnarfjörður, in der Nähe von Reykjavík. Der

Charakter der verborgenen Wesen ist ausnahmslos als freundlich, sanftmütig und gut gelaunt beschrieben. Elfen kennen keine Kriege, Lügen noch irgendwelche anderen Verbrechen in ihrem Volk. Diese geschichtliche Epoche liegt bei ihnen mehr als fünftausend Jahre zurück. Sie leben entsprechend zu unserer Zeitrechnung ungefähr im Jahre 5120. Sie sind aktive Umweltschützer, das heißt, der Schutz und die Achtung der Natur sind ihnen heilig.

Gunnars letzter Heldenkampf – Auszug aus der Njáls saga
Anonym

Thorgeir und Mörd planen neue Anschläge auf Gunnar

Nun soll von Thorgeir Otkelsson erzählt werden. Er wuchs zu einem tüchtigen jungen Mann heran, hochgewachsen und stark, verlässlich und geradeheraus, aber etwas leichtgläubig. Er wurde von den großen Leuten geschätzt und von den Seinen geliebt.

Eines Tages hatte sich Thorgeir Starkadarson aufgemacht, um seinen Verwandten Mörd zu treffen.

»Ich kann mich schlecht damit abfinden«, sagt er, »wie unser Zwist mit Gunnar ausgegangen ist. Und dabei habe ich mich teuer deiner Hilfeleistung versichert, solange wir beide am Leben sind. Jetzt möchte ich, dass du dir einen tauglichen Plan einfallen lässt und die Sache bei der Wurzel packst. Ich rede so frei heraus, weil ich weiß, dass du Gunnars schärfster Feind bist und er deiner. Ich werde mich erkenntlich zeigen und dein Ansehen steigern helfen, wenn du es gut machst.«

»Es heißt ständig«, antwortet Mörd, »dass ich nach Geld schiele, und so wird es auch sein. Es dürfte allerdings schwierig sein, deine Angelegenheit voranzutreiben, ohne dass du zum Friedensbrecher und Verräter wirst. Aber ich habe mir sagen lassen, dass Kolskegg eine Klage zu betreiben gedenkt, um das

Viertel Land vom Hof Moeidarhval auszulösen, das dein Vater als Sohnesbuße erhalten hat. Er hat die Klage von seiner Mutter übernommen, und Gunnar hat ihm geraten, Geld zu zahlen und nicht das Land abzutreten. Wir wollen zuwarten, wie es herauskommt, und können dann sagen, dass er den Vergleich mit euch gebrochen hat. Er hat auch einen Saatacker von Thorgeir Otkelsson mit Beschlag belegt und den Vergleich mit ihm gebrochen. Du sollst Thorgeir Otkelsson aufsuchen und ihn in die Sache hineinziehen, und dann nehmt euch Gunnar vor. Aber wenn etwas schiefgehen sollte und ihr ihn nicht in die Zange bekommt, dann geht eben öfter gegen ihn vor. Ich kann dir auch sagen, was Njal ihm über sein Leben prophezeit hat: Wenn er in derselben Geschlechtslinie einen zweiten Totschlag begehe, so werde das alsbald sein Tod sein, falls noch hinzukäme, dass er den Vergleich breche, der deswegen geschlossen würde. Deswegen sollst du Thorgeir in die Sache hineinziehen, weil Gunnar bereits seinen Vater erschlagen hat. Aber solltet ihr mit Gunnar aneinandergeraten, dann halte dich bedeckt. Er jedoch wird mutig angreifen, und Gunnar wird ihn erschlagen. Dann hat er zweifach in derselben Geschlechtslinie getötet. Du aber sollst aus dem Kampf fliehen. Und wenn es so ist, dass dies zu seinem Tod führt, dann wird er auch den Vergleich brechen. Wir brauchen nur abzuwarten.«

Danach zog Thorgeir heim und berichtete seinem Vater alles unter vier Augen. Sie kamen überein, diesen Plan im Geheimen zu betreiben.

Der Überfall wird vorbereitet

Kurz darauf machte sich Thorgeir Starkadarson auf den Weg nach Kirkjuboe zu seinem Namensvetter. Sie gingen beiseite und sprachen den ganzen Tag leise miteinander. Zum Schluss schenkte Thorgeir Starkadarson seinem Namensvetter eine goldverzierte Lanze und ritt danach wieder heim. Sie schlossen engste Freundschaft miteinander.

Auf dem Thingskalar-Thing im Herbst brachte Kolskegg seine Sache wegen des Landstücks von Moeidarhval vor, und Gunnar ernannte Zeugen und bot denen von Thrihyrning Geldzahlung oder Landersatz nach gesetzlicher Schätzung an. Thorgeir ernannte sich Zeugen, dass Gunnar den Vergleich mit ihnen gebrochen habe. Danach wurde das Thing geschlossen.

Nun vergeht ein Jahr. Die beiden Namensvettern kommen oft zusammen und sind wie ein Herz und eine Seele.

Kolskegg sagte zu Gunnar: »Ich habe gehört, wie herzlich die Freundschaft zwischen Thorgeir Otkelsson und Thorgeir Starkadarson sein soll, und viele sagen, dass da etwas dahintersteckt. Ich möchte, dass du dich vorsiehst.«

»Wo ich auch stehe, wird mich der Tod ereilen«, antwortet Gunnar, »wenn es mir so bestimmt ist.«

Darauf beendeten sie ihr Gespräch.

Im Herbst ordnete Gunnar an, dass eine Woche auf dem Hof in Hlidarendi gearbeitet werde und in der nächsten unten auf den Eyjar-Wiesen, um die Heuernte zu beenden. Er bestimmte, dass alle vom Hof hinunterziehen sollten außer ihm selbst und den Frauen.

Thorgeir von Thrihyrning sucht seinen Namensvetter auf, und sobald sie beisammen waren, besprachen sie sich wie gewohnt.

Thorgeir Starkadarson sagte: »Ich wollte, dass wir unseren Mut zusammennähmen und gegen Gunnar vorgingen.«

»Die Zusammenstöße mit Gunnar sind bisher meist so verlaufen«, antwortete Thorgeir Otkelsson, »dass selten einer von Sieg sprechen konnte. Im Übrigen finde ich es schlimm, als Vertragsbrüchiger beschimpft zu werden.«

»Sie haben den Vergleich gebrochen, nicht wir«, erwidert Thorgeir Starkadarson, »Gunnar hat dir den Saatacker abgenommen und mir und meinem Vater Moeidarhval!«

Sie kommen schließlich überein, Gunnar zu überfallen. Thorgeir berichtet nun, dass Gunnar in wenigen Tagen allein daheim sein werde.

»Kommt zu mir, zwölf Mann zusammen, ich werde ebenso viele aufbieten.«

Daraufhin ritt Thorgeir heim.

Der Überfall wird von Njal vereitelt

Als Kolskegg und die Knechte drei Tage auf den Eyjar-Wiesen gewesen waren, erhält Thorgeir Starkadarson Kunde davon und schickt seinem Namensvetter Botschaft, dass sie sich auf den Thrihyrning-Höhen treffen sollten. Thorgeir selbst brach zu zwölft vom Hof Thrihyrning auf. Er reitet auf die Anhöhe hinauf und wartet dort auf seinen Namensvetter. Gunnar ist jetzt allein auf seinem Hof. Die Namensvettern reiten an einer Stelle in den Wald. Dort wurden sie vom Schlafdrang überwältigt und konnten nichts anderes tun als schlafen. Sie hängten ihre Schilde an Zweigen auf, banden die Pferde an und legten die Waffen neben sich.

Njal befand sich in dieser Nacht auf Thorolfsfell und konnte nicht schlafen, sondern ging ständig hinaus und hinein. Thorhild fragte Njal, warum er nicht schlafen könne.

»Viele Dinge steigen vor meinem inneren Auge auf«, antwortete er. »Ich sehe viele und bösartige Folgegeister von Gunnars Feinden und dennoch ist etwas merkwürdig. Sie führen sich wie Rasende auf, aber taumeln doch ziellos umher.«

Kurz darauf kam ein Mann zur Tür geritten, sprang aus dem Sattel und trat ein. Es war Thorhilds Schafhirte.

Sie fragte: »Hast du die Schafe gefunden?«

»Ich fand etwas, das mehr wert sein dürfte«, antwortet er.

»Was war das?«, fragt Njal.

»Ich fand vierundzwanzig Männer«, sagt er, »oben im Wald. Sie hatten ihre Pferde angebunden, aber sie selbst schliefen. Ihre Schilde hatten sie in den Zweigen aufgehängt.«

Und er hatte sie so genau beobachtet, dass er jeden nach seinen Waffen und seiner Kleidung beschreiben konnte. Njal fand sogleich heraus, wer jeder von ihnen war, und sagte zu ihm: »Das war gute Arbeit, ich wünschte, wir hätten mehr Hausleute wie dich! Dir wird es in Zukunft zum Nutzen gereichen – aber jetzt muss ich dich doch noch einmal losschicken!« Der Schafhirte war dazu bereit.

»Du sollst nach Hlidarendi reiten«, sagt Njal, »und Gunnar ausrichten, er solle nach Grjota gehen und von dort Mannschaft aufbieten. Ich jedoch will mir die da oben ansehen und sie verscheuchen. Diesmal hat es sich gut getroffen, dass sie nichts gewinnen, aber viel verlieren werden.«

Der Schafhirte brach auf und berichtete Gunnar alles genauestens. Daraufhin ritt Gunnar nach Grjota und sammelte von dort Mannschaft.

Nun ist von Njal zu erzählen, dass er zu den Namensvettern hinaufreitet. »Unvorsichtig von euch, so hier zu liegen!«, sagt er. »Was habt ihr mit diesem Zug eigentlich vorgehabt? Mit Gunnar kann man nicht nach Belieben umspringen. Doch wenn ihr die Wahrheit hören wollt: Das hier ist der reinste Mordanschlag. Es wäre auch gut für euch, zu wissen, dass Gunnar Mannschaft sammelt. Er wird bald hier sein und euch erschlagen, wenn ihr nicht schleunigst abzieht und heimreitet.«

Sie fuhren erschrocken hoch und bekamen es mit der Angst zu tun, nahmen ihre Waffen, stiegen auf ihre Pferde und sprengten zurück nach Thrihyrning.

Njal ritt Gunnar entgegen und sagte, er solle seine Mannschaft nicht wegschicken, »aber ich werde vermitteln und nach einem Vergleich Ausschau halten. Jetzt haben sie genug Angst. Und dieser Mordanschlag soll sie nicht weniger kosten, da sie ja alle daran teilhaben, als die Erschlagung eines der beiden Namensvettern, sollte es einmal dazu kommen. Ich will das Geld in Verwahrung nehmen und sicherstellen, dass es dir zur Verfügung steht, wenn du es nötig hast.«

Die Gegner Gunnars zahlen Buße. Gunnar trifft Olaf Pai

Gunnar dankte Njal für seine Unterstützung. Njal ritt nach Thrihyrning und gab den Namensvettern Bescheid, dass Gunnar seine Mannschaft nicht heimzuschicken gedenke, bevor er mit ihnen abgerechnet habe. Sie machten für sich ein Angebot und baten Njal voller Angst, ihr Vergleichsanerbieten zu überbringen. Njal sagte, dass er nur dann bereit sei, wenn keine Heimtücke dahinterstecke. Sie baten Njal, beim Vergleich mitzuwirken, und versprachen, das einhalten zu wollen, was er vorschlage. Njal sagte, dass er nichts unternehmen werde, es sei denn auf dem Thing und dann im Beisein der einflussreichsten Männer. Sie stimmten dem zu: Njal vermittelte dann zwischen ihnen, sodass beide Seiten einander Frieden und Vergleich zusicherten. Njal sollte schiedlich richten und dazu berufen, wen er wolle.

Bald darauf trafen die Namensvettern mit Mörd Valgardsson zusammen. Mörd machte ihnen schwere Vorwürfe, dass sie Njal den Schiedsspruch übertragen hatten, wo er doch Gunnars bester Freund sei, und sagte, dass es ihnen nicht gut bekommen werde.

Die Leute reiten zum Althing wie gewöhnlich. Beide Parteien sind am Thing anwesend. Njal verlangte das Wort und fragte alle Männer von Rang, die sich eingefunden hatten, welche Forderungen Gunnar ihrer Meinung nach gegen die Namensvettern für den Anschlag auf sein Leben erheben könne. Sie antworteten, dass ihrer Meinung nach ein Mann von der Stellung Gunnars einen hohen rechtlichen Anspruch habe. Njal fragte, ob er Ansprüche gegen sie alle erheben könne oder ob die Anführer allein verantwortlich seien. Sie erklärten, dass die meiste Verantwortung bei den Anführern liege, aber auch die Übrigen seien ihren guten Teil schuldig.

»Viele werden behaupten«, sagte Mörd, »dass es nicht ohne eigenes Verschulden war, so, wie Gunnar den Vergleich mit den Namensvettern gebrochen hat.«

»Das ist kein Vertragsbruch«, erwidert Njal, »wenn man das Gesetz gegen den anderen auf seiner Seite hat. Denn durch Gesetz wird unser Land bebaut, aber durch Ungesetzlichkeit verödet.« Njal sagte ihnen, dass Gunnar Land oder andere Werte für Moeidarhval angeboten habe.

Die Namensvettern fühlten sich von Mörd hintergangen und beschimpften ihn und hielten ihm vor, dass sie diese Geldbuße ihm zu verdanken hätten. Njal berief ein Zwölfmännergericht in dieser Sache. Jeder, der an der Verschwörung teilgenommen hatte, büßte mit einem Hundert in Silber, mit zwei Hunderten aber jeder der Namensvettern. Njal nahm das Geld in Verwahrung, und beide Parteien gelobten einander vollen Frieden. Njal sprach ihnen die Formel vor.

Gunnar ritt vom Thing in den Westen nach Dalir und nach Hjardarholt. Olaf Pai nahm ihn freundlich auf, und er blieb dort zwei Wochen. Er besuchte viele Leute in Dalir und wurde von allen herzlich willkommen geheißen.

Beim Abschied sagte Olaf: »Ich möchte dir drei Kostbarkeiten schenken: einen Goldring und den Mantel, der dem Irenkönig Myrkjartan gehört hat, und einen Hund, den ich in Irland als Geschenk bekam. Er ist groß und als dein Begleiter nicht weniger von Nutzen als ein tüchtiger Mann. Außerdem hat er den Verstand eines Menschen. Er wird jeden verbellen, von dem er weiß, dass er dein Feind ist, aber niemals deine Freunde. Er sieht auch jedem sofort an, ob er es gut oder böse mit dir meint, und er bleibt dir treu bis in den Tod. Der Hund hört auf den Namen Sam.«

Dann sagte er zu dem Hund: »Jetzt gehörst du zu Gunnar und wirst ihm dienen, so gut du kannst.«

Der Hund ging sofort zu Gunnar hin und legte sich vor seine Füße. Olaf mahnte Gunnar zur Vorsicht und sagte, er habe viele Neider, »da man dich doch jetzt für den bedeutendsten Mann im ganzen Land hält.« Gunnar dankte ihm für die Geschenke und den guten Rat und ritt heim. Gunnar sitzt nun eine Zeit lang auf seinem Hof, und alles bleibt ruhig.

Ein zweiter Überfall auf Gunnar wird beschlossen

Bald danach treffen sich die Namensvettern mit Mörd. Sie sind mit ihm unzufrieden und meinen, wegen Mörd viel Geld verloren zu haben, ohne etwas dafür zu bekommen. Und sie verlangen, dass er einen neuen Plan schmiedet, der Gunnar schadet.

Mörd sagt, den könnten sie haben, »und mein Vorschlag ist der, dass Thorgeir Otkelsson Gunnars Verwandte Ormhild verführt. Gunnars Verbitterung wird gegen ihn entsprechend zunehmen. Ich werde dann das Gerücht verbreiten, dass Gunnar einiges mit dir zu erledigen hat. Etwas später macht ihr dann den Überfall auf Gunnar, aber greift ihn nicht in seinem Hof an, denn das wird nicht gelingen, solange der Hund lebt.«

Sie einigten sich darauf, diesen Plan zu verfolgen.

Nun geht es auf Sommerende zu. Thorgeirs Besuche bei Ormhild häufen sich. Gunnar missfiel das sehr, und die Verbitterung zwischen ihnen nimmt stark zu. So ging es den Winter hindurch. Nun wird es Sommer, und die beiden haben ziemlich oft ihr heimliches Stelldichein.

Thorgeir von Thrihyrning und Mörd treffen sich unterdessen ständig und beschließen, zum Überfall zu schreiten, wenn Gunnar hinunter auf die Eyjar-Wiesen reitet, um die Arbeit der Knechte zu überwachen. Eines Tags bekam Mörd Wind davon, dass Gunnar hinunter zu den Wiesen ritt, und ließ Thorgeir nach Thrihyrning melden, jetzt sei die beste Gelegenheit zum Zupacken. Sie brechen augenblicklich auf und ziehen zu zwölft hinunter, und als sie nach Kirkjuboe kommen, sind dreizehn Mann dort. Sie beratschlagen, wo sie Gunnar auflauern sollen, und kommen überein, den Hinterhalt an der Ranga zu legen.

Als dann Gunnar von den Wiesen unten zurückkam, ritt Kolskegg mit ihm. Gunnar hatte Bogen und Pfeile bei sich und den Hauspieß; Kolskegg hatte sein Kurzschwert und war voll bewaffnet.

Der dritte Kampf an der Ranga. Thorgeir Otkelsson wird getötet

Als sie nun die Ranga hinaufritten, geschah es, dass sich der Hauspieß mit Blut verfärbte. Kolskegg fragte, was das zu bedeuten habe. Gunnar antwortet, dass man derartige Zeichen in anderen Ländern Wundenregen nenne, »und Ölvir auf Hising sagte mir, diese Zeichen gingen großen Gemetzeln voraus«.

Sie ritten weiter, bis sie Männer am Fluss sahen – sie sitzen dort und haben ihre Pferde angebunden.

Gunnar sagte: »Wieder ein Hinterhalt!«

Kolskegg antwortete: »Darauf haben sie lange gelauert«, sagt er, »und was sollen wir jetzt anfangen?«

»Wir geben den Pferden die Sporen und reiten an ihnen vorbei bis zur Furt«, sagt Gunnar, »und dort stellen wir uns.«

Die anderen sehen das und setzen ihnen nach. Gunnar spannt seinen Bogen, nimmt die Pfeile, schüttet sie vor sich aus und beginnt sofort zu schießen, sobald sie in Schussweite kamen. Er verwundete viele, aber einige tötete er.

Da sagte Thorgeir Otkelsson: »Damit kommen wir nicht weiter! Geht allesamt scharf auf sie los!«

So machten sie es. Als Erster drang Önund der Schöne vor, ein Verwandter Thorgeirs. Gunnar warf den Hauspieß nach ihm, und es traf den Schild und spaltete ihn in zwei Teile, und der Spieß drang durch Önund hindurch. Ögmund Floki griff Gunnar im Rücken an, doch Kolskegg sah es und hieb ihm beide Beine ab und stieß ihn hinaus in die Ranga. Er ertrank sofort. Jetzt wurde heftig gekämpft. Gunnar hieb mit der einen Hand, mit der anderen stieß er zu. Kolskegg erschlug einige, viele aber verwundete er.

Da sagte Thorgeir Starkadarson zu seinem Namensvetter: »Es sieht mir kaum danach aus, als hättest du vor, deinen Vater zu rächen!«

Der antwortet: »Das stimmt – viel habe ich bisher nicht unternommen, aber du bist mir kaum nachgerückt, und deine Beleidigung will ich nicht auf mir sitzen lassen!«

Er stürmt wutentbrannt auf Gunnar los und jagt den Spieß durch dessen Schild und Gunnar durch den Arm. Gunnar riss den Schild so heftig zur Seite, dass der Spieß an der Tülle abbrach. Da sieht Gunnar einen zweiten Gegner in Hiebnähe kommen und streckt ihn nieder; den Hauspieß ergreift er jetzt mit beiden Händen. Mit dem Schwert in vollem Schwung war inzwischen Thorgeir Otkelsson ziemlich nahe an ihn herangekommen. Voller Kampfzorn dreht sich Gunnar rasch nach ihm um und treibt den Spieß durch ihn hindurch, wirbelt ihn in die Luft und wirft ihn hinaus in die Ranga. Er treibt bis zur

Furt hinunter und bleibt dort an einem Felsen hängen. Seither heißt es dort Thorgeirsfurt.

Thorgeir Starkadarson sagte: »Lasst uns fliehen! Wie die Dinge liegen, bleibt wenig Aussicht hier auf Sieg.« Da wandten sich alle zur Flucht.

»Wir setzen ihnen nach«, sagt Kolskegg, »nimm du Bogen und Pfeile, du kannst Thorgeir noch in Schussweite kriegen.«

Gunnar sagt: »Es scheint, die Silberbeutel dürften geleert sein, wenn die gebüßt sind, die hier tot liegen.«

»Dir wird das Silber schon nicht ausgehen«, antwortete Kolskegg, »aber Thorgeir wird nicht eher aufgeben, bis er deinen Tod in Händen hat.«

»Von seiner Sorte müssten mir noch einige mehr im Wege stehen, ehe ich mich vor ihnen fürchte«, sagt Gunnar.

Darauf reiten sie heim und berichten, was vorgefallen ist. Hallgerd war darüber erfreut und lobte ihre Tat.

Rannveig sagte: »Es mag sein, dass die Tat gut ist, aber mir wurde so übel zumute, dass ich nicht glauben kann, dass Gutes aus ihr wächst.«

Der Prozess auf dem Althing

Diese Neuigkeit verbreitet sich weit herum, und Thorgeir wurde von vielen betrauert. Gizur der Weiße und seine Leute ritten zur Kampfstätte und machten die Totschläge kund und beriefen die Tatortnachbarn zum Thing. Darauf ritten sie zurück in den Westen.

Njal und Gunnar trafen sich und besprachen den Kampf. Njal sagte zu Gunnar: »Sieh dich vor! Jetzt hast du in derselben Geschlechtslinie zweimal Totschläge begangen. Mach dich gefasst, dass dein Leben daran hängt, wenn du den Vergleich nicht hältst, der geschlossen wird.«

»Ich denke nicht daran, ihn zu brechen«, sagt Gunnar, »aber dennoch bedarf ich deiner Hilfe auf dem Thing.«

Njal antwortete: »Ich werde dir mein Lebtag die Treue halten!«

Darauf ritt Gunnar heim.

Es kommt nun das Thing heran, und beide Parteien bringen starke Mannschaften auf. Man redet auf dem Thing lang und breit darüber, wie die Sache ausgehen wird. Gizur und der Gode Geir beratschlagten, wie sie die Totschlagssache für Thorgeir vertreten sollen.

Gizur übernahm sie schließlich und erhob die Klage am Gesetzesfelsen mit folgenden Worten: »Ich verkünde gegen Gunnar Hamundarson ungesetzlichen Angriff, weil er mit ungesetzlichem Angriff gegen Thorgeir Otkelsson losging und ihm eine in die Bauchhöhle gehende Wunde zufügte, die zur Todeswunde wurde, an der Thorgeir starb. Ich erkläre, dass er wegen dieser Sache verurteilt werden muss zur vollen Friedlosigkeit: weder zu ernähren, noch fortzubewegen, noch in irgendeiner Weise zu unterstützen. Ich erkläre sein Eigentum für verwirkt, zur Hälfte mir zuhanden, zur Hälfte zuhanden der Männer im Landesviertel, die verwirktes Gut nach Gesetz an sich zu nehmen berechtigt sind. Ich verkünde die Klage vor dem Viertelsgericht, an das sie nach Gesetz zu kommen hat. Ich verkünde gesetzliche Kundmachung vor aller Ohren am Gesetzesfelsen. Ich verkünde und klage auf Verfolgung und volle Friedlosigkeit gegen Gunnar Hamundarson.«

Gizur ernannte sich aufs Neue Zeugen und verkündete gegen Gunnar Hamundarson, dass er Thorgeir Otkelsson eine in die Bauchhöhle gehende Wunde zufügte, die zur Todeswunde wurde, an der er auf dem Kampfplatz starb, wo Gunnar zuvor mit ungesetzlichem Angriff auf Thorgeir losgegangen war. Darauf verkündete er diese Klage wie die erste. Er fragte dann nach Thingzugehörigkeit und Wohnsitz. Schließlich verließen die Leute den Gesetzesfelsen, und alle sagten, dass er gut vorgetragen habe. Gunnar verhielt sich ruhig und hatte wenig hinzuzufügen.

Nun vergeht das Thing, bis die einzelnen Gerichte ihre Plätze einnehmen sollten. Gunnar und sein Haufen standen nördlich vom Gericht der Ranga-Leute, Gizur stand mit seinem Anhang auf der südlichen Seite und ernannte sich Zeugen und forderte Gunnar auf, sich seinen Eidschwur und den Vortrag der Klage mitsamt allen Beweismitteln anzuhören, die er vorzubringen gedachte. Danach legte er den Eid ab. Darauf trug er vor Gericht die Klage vor, wie er sie verkündet hatte. Dann ließ er die Kundmachung bezeugen. Dann bot er die Tatortzeugen auf und forderte die Sichtung der Geschworenen.

Gunnars Landesverweisung

Da sagte Njal: »Jetzt dürfen wir nicht länger hier herumsitzen. Lasst uns zu den Geschworenen gehen!«

Sie gingen dorthin und schieden vier von ihnen aus dem Gericht aus und benannten die fünf übrigen als Klagehelfer für Gunnar: ob Thorgeir Starkadarson und Thorgeir Otkelsson mit dem Vorsatz losgezogen seien, Gunnar zu überfallen, wenn sie könnten. Sie antworteten alle, ohne zu zögern, dass es sich so verhalten habe. Njal erklärte damit die Klage für abgewehrt und sagte, er werde vor Gericht Einspruch vorbringen, sofern die anderen nicht auf einen Vergleich eingingen. Viele der anwesenden Oberhäupter sprachen für einen Vergleich, und es lief darauf hinaus, dass zwölf Männer den Schiedsspruch fällen sollten. Da traten beide Parteien vor und bekräftigten den Vergleich mit Handschlag. Darauf wurde der Schiedsspruch gefällt, und die Bußen wurden festgesetzt, und alles sollte sofort auf dem Thing gezahlt werden. Gunnar jedoch sollte zusammen mit Kolskegg Island verlassen und drei Jahre außer Landes sein. Aber wenn Gunnar nicht ausfahren würde, obwohl Gelegenheit dazu sei, dann sollte er von den Verwandten des Erschlagenen bußlos getötet werden können.

Es war Gunnar nichts anzumerken, ob er mit dem Vergleich einverstanden war oder nicht. Er fragte Njal nach dem Geld, das er ihm zur Aufbewahrung gegeben hatte. Njal hatte es mit Gewinn verwaltet und übergab es nun, und es ging genau mit der Summe auf, die Gunnar an Bußen zu zahlen hatte. Die Leute reiten nun heim.

Njal und Gunnar ritten gemeinsam vom Thing fort. Njal sagte zu Gunnar: »Sei so gut, mein lieber Freund, und halte dich an den Vergleich und denke daran, was wir miteinander besprochen haben«, sagt er, »und wenn dir schon deine vorige Auslandsreise so viel Wertschätzung eingebracht hat, dann wird dir diese noch höheres Ansehen bringen. Du wirst geehrt und geachtet heimkehren und ein alter Mann werden, und niemand hier wird an dich herankommen. Aber wenn du Island nicht verlässt und den Vergleich brichst, dann wirst du hier im Lande erschlagen werden, und das ist bitter zu wissen für die, die deine Freunde sind.«

Gunnar sagte, er gedenke keinerlei Vergleiche zu brechen.

Er reitet heim und erzählt von der Abmachung. Rannveig äußerte sich zufrieden über die Ausreise – sollen sich inzwischen andere die Köpfe einschlagen.

Gunnar bleibt im Land

Thrain Sigfusson eröffnete seiner Frau, dass er diesen Sommer außer Landes fahren wolle. Sie antwortet, das sei ihr recht. Die Fahrtgelegenheit vereinbarte er mit Högni dem Weißen.

Gunnar verschaffte sich zusammen mit Kolskegg eine Fahrtgelegenheit bei Arnfinn aus Vik.

Die Njalssöhne Grim und Helgi baten ihren Vater um Erlaubnis zur Ausfahrt.

Njal antwortet: »Die Reise dürfte beschwerlich für euch werden, sodass nicht immer sicher ist, ob ihr mit heiler Haut davonkommt. Doch werdet ihr in einigen Dingen auch Anerkennung und Ehre davontragen. Unwahrscheinlich ist es aber nicht, dass Schwierigkeiten nachschleppen, wenn ihr zurückkehrt.«

Sie beharrten auf der Ausfahrt, und schließlich erlaubte er ihnen, zu reisen, wie sie wollten. Sie verschafften sich Fahrtgelegenheit bei Bard dem Schwarzen und Olaf, dem Sohn Ketils aus Elda. Und es wird nun viel darüber geredet, dass die besseren Leute reihenweise aus der Gegend abzögen.

Gunnars Söhne, Högni und Grani, waren jetzt junge Männer. Ihrer Natur nach waren sie sich sehr unähnlich. Grani hatte viel vom Wesen seiner Mutter, doch Högni entwickelte sich gut.

Gunnar lässt die Handelsware für sich und Kolskegg aufs Schiff verfrachten. Und als ihre ganze Ladung an Bord und das Schiff fast segelklar war, ritt Gunnar nach Bergthorshval und zu anderen Höfen, um von den Leuten Abschied zu nehmen und ihnen für die Unterstützung zu danken, die sie ihm geleistet hatten.

Am folgenden Tag frühmorgens macht er sich fertig, um zum Schiff zu reiten. Er sprach zu allen seinen Leuten und sagte, dass er nun für immer fortbleiben werde. Sie nahmen es schwer, hofften aber trotzdem später auf seine Rückkehr. Als Gunnar fertig war, umarmte er sie alle, und alle gingen mit ihm hinaus. Er stemmt den Hauspieß in die Erde und schwingt sich in den Sattel; er und Kolskegg reiten vom Hof.

Sie reiten auf das Markarfljot zu. Da strauchelte Gunnars

Pferd, und er sprang vom Sattel. Da fiel sein Blick auf die Anhöhe mit den Häusern von Hlidarendi, und er sagte: »Wie schön ist die Halde! So schön habe ich sie noch nie gesehen: die gelben Felder und das gemähte Wiesland. Ich kehre um und fahre nirgends hin!«

»Tu deinen Feinden nicht den Gefallen«, sagt Kolskegg, »den Vergleich zu brechen; denn das würde man dir nicht zutrauen. Und du kannst dich darauf verlassen, dass alles so eintrifft, wie Njal gesagt hat.«

»Nein, ich werde nicht fahren«, sagt Gunnar, »und ich wünschte, du würdest es auch nicht tun.«

»Das wird nicht der Fall sein«, sagt Kolskegg. »Ich will nicht des Treuebruchs bezichtigt werden – weder hierin noch in anderer Sache, wo man mir vertraut. Dies ist das Einzige, was uns auseinanderbringen kann. Sage meinen Verwandten und meiner Mutter, dass ich nicht daran denke, Island je wiederzusehen. Denn ich werde von deinem Tod erfahren, Bruder, und dann zieht mich nichts hierher zurück.«

Darauf trennen sie sich. Gunnar reitet heim nach Hlidarendi, aber Kolskegg zum Schiff und fährt außer Landes.

Hallgerd war erfreut, als Gunnar zurückkehrte, seine Mutter aber sagte wenig dazu. Gunnar sitzt nun den Herbst und den Winter auf seinem Hof und hat nicht viel Mannschaft bei sich. Dann geht der Winter zu Ende.

Olaf Pai schickte einen Boten zu Gunnar und lud ihn und Hallgerd zu sich nach dem Westen ein. Die Aufsicht über den Hof solle er seiner Mutter und seinem Sohn Högni übergeben. Gunnar schien dies zunächst zuzusagen, und er willigte ein, als es aber darauf ankam, wollte er nicht mehr.

Aber auf dem Thing im Sommer verkünden Gizur und sein Anhang Gunnars Achtung am Gesetzesfelsen. Und ehe das Thing auseinanderging, beschied Gizur alle Widersacher Gunnars zur Almannagja: Starkad von Thrihyrning und seinen Sohn Thorgeir, Mörd und Valgard den Grauen, den Goden Geir und Hjalti Skeggjason, Thorbrand und Asbrand, die Söhne Thorleiks, weiter Eilif und seinen Sohn Önund, Önund von Tröllaskog, Thorgrim aus Sandgil.

Gizur sagte: »Ich will euch dazu aufrufen, dass wir Gunnar diesen Sommer überfallen und erschlagen.«

Hjalti erwiderte: »Das versprach ich Gunnar hier auf dem Thing, als er sich in seinem Handeln von mir überreden ließ, dass ich mich niemals an einem Anschlag gegen ihn beteiligen würde; und daran wird sich nichts ändern!«

Daraufhin ging Hjalti fort. Aber die Übrigen verbanden sich zum Angriff auf Gunnar und gaben sich die Hand darauf und setzten Buße fest, falls einer von ihnen sich zurückziehen sollte. Mörd sollte ausspionieren, wann die beste Gelegenheit zum Zuschlagen gekommen sei. Es waren im Ganzen vierzig, die sich verschworen hatten. Es schienen ihnen jetzt wenig Hindernisse im Weg zu liegen, um Gunnar zu greifen, da Kolskegg und Thrain und viele andere Freunde Gunnars außer Landes waren. Die Leute ritten dann vom Thing heim.

Njal suchte Gunnar auf und berichtete ihm von seiner Ächtung und der Verschwörung.

»Es ist ehrenhaft von dir«, sagt Gunnar, »dass du mich warnen kommst.«

»Jetzt möchte ich«, sagt Njal, »dass Skarphedin und mein Sohn Höskuld hierher ziehen, und sie werden ihr Leben für deines einsetzen.«

»Nein, ich will auf keinen Fall«, sagt Gunnar, »dass deine Söhne wegen mir erschlagen werden. Ich bin dir Besseres schuldig.«

»Es kommt aufs Gleiche hinaus«, sagt Njal, »denn solltest du tot sein, werden sich die Schwierigkeiten dort festsetzen, wo meine Söhne sind.«

»Nicht unwahrscheinlich«, sagt Gunnar, »aber ich möchte

nicht dafür die Schuld tragen. Doch darum bitte ich, dass ihr euch um meinen Sohn Högni kümmert. Von Grani spreche ich nicht, denn er unternimmt vieles, was gegen meinen Sinn ist.«

Njal gab sein Wort und ritt danach heim.

Es wird erzählt, dass Gunnar an alle Zusammenkünfte und Thinganlässe ritt, und seine Feinde wagten nie, Hand an ihn zu legen. So ging es eine ganze Weile, dass er sich als friedloser Mann frei bewegte.

Der Überfall auf Hlidarendi

Im Herbst sandte Mörd Valgardsson Botschaft, dass Gunnar allein auf dem Hof sein werde, aber seine Hausleute alle unten auf den Eyjar-Wiesen, um das letzte Heu einzubringen.

Gizur der Weiße und der Gode Geir ritten ostwärts über die Flüsse, sobald sie das erfuhren, und weiter über die Sande nach Hof. Dann schickten sie Botschaft an Starkad nach Thrihyrning. Alle, die gegen Gunnar losschlagen sollten, versammelten sich dort, und sie beratschlagten, wie nun vorzugehen sei. Mörd sagt, sie könnten nicht unbemerkt an Gunnar herankommen, wenn sie nicht den Bauern vom Nachbarhof festnehmen würden, der Thorkel hieß, und ihn zum Mitmachen zwängen. Er müsse allein zum Gehöft gehen, um den Hund Sam in die Hände zu kriegen.

Sie zogen darauf ostwärts nach Hlidarendi hinüber und setzten ein paar Männer auf Thorkel an. Sie ergriffen ihn und stellten ihn vor die Wahl – entweder würden sie ihn erschlagen oder er befasse sich mit dem Hund. Er entschied sich dafür, lieber sein Leben zu behalten, und folgte ihnen.

Oberhalb des Hofplatzes von Hlidarendi waren Viehhürden. Dort hielten sie mit ihrer Schar an. Der Bauer Thorkel ging hinunter zu den Häusern. Der Hund lag oben auf dem

Dach, und er lockt den Hund mit sich fort in eine Bodensenke. Wie der Hund bemerkt, dass dort Menschen stehen, fällt er Thorkel an und beißt ihn in die Leiste. Önund aus Tröllaskog jagte dem Hund die Axt in den Kopf, dass sie tief ins Hirn drang. Der Hund gab ein so lautes Heulen von sich, wie sie es noch nie gehört hatten, und fiel tot nieder.

Gunnars Tod

Gunnar erwachte in seiner Halle und sagte: »Schlimm hat man dir mitgespielt, mein Freund Sam! Und es scheint die Meinung zu sein, dass es mir bald ebenso gehe.«

Gunnars Halle war ganz aus Holz gezimmert und hatte ein Dach aus überlappenden Brettern. Zwischen den Firstbalken saßen Luken mit Läden davor. Gunnar schlief in einem Loft über der Halle, ebenso Hallgerd und seine Mutter.

Als die Angreifer heran waren, wussten sie nicht, ob Gunnar daheim war. Sie forderten einen der Ihren auf, zum Hof vorauszugehen und Nachschau zu halten. Die Übrigen setzten sich nieder auf die Erde. Der Norweger Thorgrim stieg auf das Hallendach. Gunnar sieht, dass sich ein roter Rock an der Luke vorbeibewegt, und sticht hinaus mit dem Hauspieß genau auf den Mann. Der Norweger ließ seinen Schild los, verlor den Halt unter den Füßen und fiel vom Dach. Er geht auf Gizur und die anderen zu, die da auf der Erde saßen.

Gizur sah ihn sich an und sagte: »Wie siehts aus, ist Gunnar daheim?« Thorgrim antwortet: »Schaut doch selber nach! Ich weiß jedenfalls, dass sein Hauspieß daheim ist.« Dann fiel er tot um.

Da rückten sie nun gegen die Hofbauten vor. Gunnar schoss mit Pfeilen auf sie und verteidigte sich umsichtig, und sie konnten nichts ausrichten. Da schwangen sich einige auf die

Häuser und versuchten, von den Dächern aus anzugreifen. Gunnar behielt sie jedoch mit seinen Pfeilen im Visier, und sie konnten nichts ausrichten. So ging es eine Weile.

Sie machten eine Pause und rückten dann zum zweiten Mal vor.

Da rief Gizur der Weiße: »Greift schärfer an! So kommen wir nicht voran!«

Darauf machten sie einen dritten Vorstoß und hielten lange aus; danach zogen sie sich zurück.

Gunnar sagte: »Draußen an der Dachkante liegt ein Pfeil. Das ist einer von ihren, und den werde ich zurücksenden. Schmählich für sie, wenn sie durch die eigenen Waffen etwas abbekommen.«

Seine Mutter sagte: »Tu das nicht! Reize sie nicht wieder auf, wenn sie sich schon zurückgezogen haben.«

Gunnar streckte sich nach dem Pfeil und zielte auf sie. Es traf Eilif Önundarson und verwundete ihn schwer. Er hatte abseits gestanden, und sie wussten nicht, dass er verletzt war.

»Da oben kam ein Arm heraus«, sagt Gizur, »und es war ein Goldring dran. Er langte nach einem Pfeil, der auf dem Dach lag. Man würde sich nicht draußen umsehen, wenn es drinnen genug hätte. Lasst uns wieder angreifen!«

Da sagte Mörd: »Wir verbrennen ihn im Haus!«

»Das wird nie geschehen«, entgegnet Gizur, »selbst wenn ich wüsste, dass es um mein Leben ginge. Aber einem so schlauen Fuchs, für den man dich hält, müsste doch etwas einfallen, das taugt.«

Auf der Erde lagen Seile, die man zu benutzen pflegte, um die Häuser abzusichern.

Mörd sagte: »Wir nehmen die Seile und binden sie am Firstbalken fest, aber mit den anderen Enden wickeln wir sie um Steine und klemmen Knüppel dazwischen und winden das Dach von der Halle.«

Sie nahmen die Seile und setzen es so ins Werk, und ehe es sich Gunnar versah, hatten sie das ganze Dach von der Halle weggezogen. Er wehrt sich nun wieder mit dem Bogen, sodass sie nicht an ihn herankommen können.

Da äußerte Mörd zum zweiten Mal, dass sie Gunnar im Haus verbrennen sollten.

Gizur antwortet: »Ich weiß nicht, wie du darauf zurückkommst, wo es doch niemand sonst will. Nie wird das geschehen!«

In diesem Augenblick springt Thorbrand Thorleiksson hinauf aufs Dach und zertrennt Gunnar die Bogensehne. Gunnar ergreift den Hausspieß mit beiden Händen, wendet sich schnell gegen ihn und durchbohrt ihn und wirft ihn vom Dach. Da sprang sein Bruder Asbrand aufs Dach. Gunnar führt mit dem Hausspieß einen Stoß nach ihm, doch er deckte sich mit dem Schild. Der Hausspieß fuhr in den Schild und durch die Armknochen. Gunnar drehte den Spieß mit solcher Kraft, dass der Schild in Stücke ging und die Armknochen brachen, und Asbrand fiel vom Dach. Vorher hatte Gunnar acht Mann verwundet und zwei getötet. Da empfing er selbst zwei Wunden, aber alle sagten, dass er sich weder um Wunden noch um den Tod kümmerte.

Er sagte zu Hallgerd: »Gib mir zwei Flechten von deinem Haar und dreht mir daraus eine Bogensehne, du und meine Mutter!«

»Bedeutet es dir etwas?«, fragt Hallgerd.

»Es bedeutet mein Leben«, sagt er, »denn sie werden mich nicht übermannen, solange ich den Bogen gebrauchen kann.«

»Dann werde ich dich jetzt«, sagt sie, »an jene Ohrfeige erinnern, und es schert mich nicht, ob du dich etwas länger oder kürzer wehren kannst.«

»Jeder hat seinen eigenen Weg zum Ruhm«, sagt Gunnar, »und ich werde dich kein zweites Mal darum bitten.«

Rannveig sagte: »Gemein benimmst du dich, und für deine Schande wird man ein langes Gedächtnis haben!«

Gunnar wehrte sich geschickt und mannhaft und fügt jetzt noch weiteren acht Mann so schwere Wunden zu, dass mancher dem Tod nahe war. Er wehrte sich, bis er vor Erschöpfung zusammenbrach. Sie fügten ihm viele schwere Wunden zu, aber er kam ihnen noch einmal aus den Händen und wehrte sich lange. Am Ende aber erschlugen sie ihn doch.

Über seinen Verteidigungskampf dichtete Thorkel Elfari-Skalde diese Strophe:

Wir hörten, wie kampfstark
Gunnar den Spieß führte,
der Steuermann des Kielspurhengstes,
auf seinem Hof im Südland.
Sechzehn Sturmbäumen
des Mondes der Schiffe
fügte der Held Wunden zu,
doch zweien gab er den Tod.

Gizur sagte: »Einen mächtigen Streiter haben wir nun niedergestreckt, und es war für uns ein hartes Werk. Sein Kampf wird in Erinnerung bleiben, solange dieses Land bewohnt ist.«

Darauf ging er hin zu Rannveig und sagte: »Willst du uns ein Stück Land für unsere beiden Toten geben, damit sie hier bestattet werden können?«

»Mit Freuden den beiden«, sagt sie, »am liebsten aber euch allen!«

»Man kann dir nicht verdenken, wie du sprichst«, sagt Gizur, »denn dein Verlust ist groß!« Und er befahl, dass dort nichts geraubt und nichts zerstört werden solle. Danach rückten sie ab.

Da sagte Thorgeir Starkadarson: »Wir wagen nicht, daheim

auf unseren Höfen zu sitzen wegen der Sigfussöhne, wenn nicht einer von euch – du, Gizur, oder du, Geir – eine Weile hier in der Gegend bleibt.«

»Da habt ihr wahrscheinlich recht«, sagt Gizur, und sie zogen das Los, und es war an Geir, dort zu bleiben.

Er zog nach Oddi und hielt sich dort auf. Er hatte einen Sohn, der Hroald hieß. Er war der Sohn einer Konkubine. Seine Mutter hieß Bjartey und war die Schwester von Thorvald Veili, der bei Hestloek in Grimsnes erschlagen wurde. Er prahlte damit, dass er Gunnar den tödlichen Hieb versetzt habe. Hroald blieb jetzt bei seinem Vater. Thorgeir Starkadarson prahlte mit einer anderen Wunde, die er dem Gunnar zugefügt habe.

Gizur saß auf seinem Hof in Mosfell.

Die Erschlagung Gunnars wurde in allen Landesteilen verurteilt, und vielen Menschen ging sein Tod sehr nahe.

Wasser, Eis und Lava –
Ein geologischer Blick
Wolfgang Jacoby

Reisende haben wohl erst seit gut zweihundert Jahren die Naturwunder gesucht; Natur, besonders die wilde und ungezähmte, kam ins Blickfeld der »Gebildeten« erst durch Romantik, die Französische Revolution und den Aufstieg der Naturwissenschaften im 19. Jahrhundert. Touristen bevölkern die bekannten Naturattraktionen erst seit etwa fünfzig Jahren und haben längst begonnen, sie zu gefährden. Islandbesucher überschwemmen im Sommer Tag für Tag Þingvellir und Gullfoss, gefördert von der gesamten Tourismusbranche, und Tourismus stellt heute einen bedeutenden Wirtschaftsfaktor dar, auch für Island. So etwas wie Naturschwärmerei wird hier ausgenutzt, und nur eine Minderheit der Besucher scheint heute noch ganz bewusst die Naturgewalten auf sich einwirken zu lassen.

Isländer gehen mit Schluchten und Wasserfällen vielleicht nüchterner um, sie sehen in ihnen nicht nur die Schönheit, sondern auch den Nutzen, sei es eben als Touristenmagneten, sei es als potenzielle Energieerzeuger. Im Schwerefeld der Erde fallendes Wasser wandelt potenzielle in kinetische Energie um, dann im turbulenten Aufprall wieder in Arbeit der Zerstörung und letztlich Wärme (die wir aber dabei nicht wahrnehmen). Der Energieumsatz ist im Endeffekt derselbe, wenn das Wasser denselben Höhenunterschied friedlich hinabfließt; es ist die Konzentration des Energieumsatzes in einem Wasserfall, die das Naturschauspiel erzeugt – die aber auch dazu anregt, diese Energie für den Menschen praktisch nutzbar zu machen, indem man das Wasser durch Turbinen leitet, welche Generatoren antreiben. Schon vor hundert Jahren hatte der Bauer, dem das Gebiet um Gullfoss gehörte, diesen einem englischen Industriellen verkauft, der dort eines der ersten Wasserkraftwerke bauen wollte. Heute wird das größte Wasserkraftwerk in bisher fast unberührter Natur in Nordostisland gebaut, das Projekt Kárahnjúkar, welches das Volk in Naturschützer und Naturnutzer spaltet. Ein über hundertachtzig Meter hoher Damm riegelt die gewaltige Schlucht Hafrahvammagljúfur der Jökulsá á Dal bereits ab, die aufgestaut wird; die Gegend war bisher allerdings kaum erschlossen und nur schwer zu erreichen.

Der Konflikt zwischen Schutz und Nutz der Natur ist natürlich nicht auf Island beschränkt, auch nicht auf die heutige Zeit; aber das Bewusstsein, dass der Schutz der Natur für das Überleben der Menschheit wichtiger werden könnte als der Nutzen, Ökologie wichtiger als Ökonomie, fehlt bis heute immer noch den meisten.

Die Geologie von Wasserfällen

Am Anfang steht jedenfalls die Geologie.

Alle großen Wasserfälle fallen in Schluchten; weltweit am bekanntesten sind wohl die Niagara-Fälle. In Island sind einige der Schluchten nur kurze Einschneidungen in festes Gestein, andere sind viele Kilometer lang, einige sind wenige

Meter tief, andere über hundert Meter. Charakteristisch für Island ist es, dass Fluten von Lava durch die Flusstäler oft entscheidend an der Gestaltung mitgewirkt haben. Das ist der Fall bei Dettifoss und Gullfoss und ihren markanten Schluchten, Canyons oder *gljúfur*, auch bei kleineren Schluchten wie bei Goðafoss, Aldeyjarfoss, Svartifoss, Þjófafoss, Gjáin. Bei Kolugil, Hengifoss und anderen Wasserfällen spielen »fossile« Lavaströme eine entscheidende Rolle, etwa Lavaströme oder säulige »Intrusionen«, die vor Jahrmillionen dicht unter der Oberfläche als Subvulkane abgekühlt sind, vom Fluss nur ausgeräumt und freigelegt wurden. Lavaströme, die durch Flusstäler kamen, fehlen manchmal, und die Schluchten sind nicht überall ausgeprägt, zum Beispiel bei Skógafoss, Seljalandsfoss, Háifoss und Brúarfoss. Präexistierende Lava spielt aber fast immer eine Rolle, vor allem bei den Flutbasalten der Ostfjorde und der Westfjorde; die harten Flutbasalte bilden »Treppen«, wie sie besonders bei den steilen Taleinschnitten am Ende der Fjorde auffallen; Beispiele sind Seyðisfjörður, allen Norröna-Fahrern bekannt, Fossárdalur bei Djúpivogur, nach den Wasserfällen benannt, oder Dýnjandi (Fjallfoss) in den Westfjorden. Die Hänge aus Flutbasalten sind durchzogen von kleineren Rinnen und Kaskaden, die bei starkem Regen oder während der Schneeschmelze anschwellen und gelegentlich Straßen überschwemmen oder gar fortspülen. Umgekehrt gibt es auch Schluchten ohne aktuelle Wasserfälle, zum Beispiel Ásbyrgi, Gæsadalur und Fjaðrárgljúfur, die je eine besondere Geschichte haben. Die Aufzählung ist keinesfalls vollzählig. Ich vergaß zum Beispiel, dass es in Island sogar einen künstlichen Wasserfall gibt – Öxarárfoss in Þingvellir, dessen »Schlucht« eine tektonische Spalte ist.

Wasser ist die triviale und erste Voraussetzung für die Existenz von Wasserfällen, ein Bach, ein Fluss, ein Strom. Dass fließendes, erst recht tief stürzendes Wasser Gestein zerstört und forträumt, ist evident, mehr als »steter Tropfen höhlt den Stein«. Wasser liefert die Energie, die Arbeit der Zertrümmerung und des Transports. Die Wassermenge (pro Zeiteinheit) ist ein entscheidender Faktor, der aber auch das gesamte Umfeld mitprägt, die Art der Morphologie, die Breite der Täler. Flüsse haben mehr oder weniger große Einzugsgebiete und Quellgebiete in den Bergen, in Eiskappen und Gletschern. Entsprechend unterschiedlich ist die Wasserführung, stark oder gering, regelmäßig oder unregelmäßig, kontinuierlich oder sporadisch; diese Unterschiede beeinflussen die Erosionskraft des Wassers wesentlich. Auch die Art des Wassers, vor allem seine gelöste und partikuläre Fracht, hat einen Einfluss.

Höhenunterschiede und Gefälle sind ebenfalls triviale Voraussetzung für die Entstehung von Wasserfällen. Die Energie hängt von der Fallhöhe ab. Da sich über die geologische Zeit hinweg alle Höhenunterschiede durch Verwitterung, Erosion und Abtransport der zerkleinerten oder in Wasser gelösten Materialien einebnen, gibt es Wasserfälle nur dort, wo geodynamische Prozesse der Einebnung entgegenwirken. Höhenunterschiede entstehen primär endogen durch tektonische Kräfte und Vulkanismus. Differenzielle Landhebung oder Absenkung etwa eines tektonischen Grabens werden durch thermische und gravitative, das heisst konvektive Prozesse gesteuert, aber auch exogen modifiziert, da Entlastung oder Belastung durch Talausräumung oder Sedimentaufschüttung (infolge von Abriegelung durch Bergrutsche) wiederum zu Hebung oder Absinken führt. Wasserfälle selbst erzeugen Höhenunterschiede; sie haben die Tendenz, sich ständig selbst zu regenerieren.

Allem zugrunde liegt immer ein geodynamischer Komplex aus endogenen und exogenen Prozessen mit ihren unterschiedlichen natürlichen »Zeitkonstanten«, letztlich Ausdruck der endogenen Dynamik des Erdinneren und der exogenen Dynamik der Atmosphäre und der Hydrosphäre, das heisst der Abführung von Wärme aus dem Erdinneren und der eingestrahlten Sonnenenergie. Wasserfälle sind eingebettet in Vulkanismus und Plattenbewegungen, Riffen und Auseinanderdriften, oder Zusammenschub mit Gebirgsbildung – sowie Verdunsten, Kondensieren, Transport, Abregnen im von der Sonne gesteuerten Wasserkreislauf. Die Bewunderung eines Wasserfalls vertieft sich, wenn man hier einen Brennpunkt irdischer und kosmischer Dynamik erkennt, Wasserfälle als exogenen Prozess, entstehend, sich ständig verändernd und wieder vergehend, nicht da für die Ewigkeit!

Klima, also vor allem der Niederschlag im Einzugsgebiet, ist ein wichtiger Aspekt der Entstehung von Wasserfällen. Insbesondere spielt das zeitliche Verhalten des Abflusses eine große Rolle. Ein regelmäßiger Abfluss wirkt stetig – wie der »stete Tropfen«, doch selbst dieser wirkt ganz anders als ein stetes Rinnsal, das vielleicht unterwegs verdunsten würde. Bei unregelmäßigem Abfluss werden während großer Abflussereignisse starke Erosionskräfte entwickelt, selbst wenn langfristig im Mittel nur ein Rinnsal fließen würde, das keine nennenswerte Erosion bewirkt. Die Zerstörungskraft des Wassers wächst nämlich nicht linear, sondern überproportional mit der Strömungsgeschwindigkeit. Langsames ruhiges, laminares Strömen ist nicht sehr wirkungsvoll. An einem kritischen Punkt aber setzt Turbulenz ein, und bei noch höheren Fließgeschwindigkeiten treten weitere zerstörerische Prozesse auf, zum Beispiel Kavitation, das heißt der Abriss des Wasserstroms unter Bildung von Vakuumtaschen, die infolge des enormen Unterdrucks große Gesteinsbrocken einfach herausreißen können. Diese Gesichtspunkte sind wichtig, wenn man in Island die Verteilung der Wasserfälle und Schluchten verstehen will. Gewaltige Fluten, welche die Vorstellungskraft übersteigen, sind nämlich nur dort zu erwarten, wo im Einzugsgebiet der Ströme Eiskappen oder Gletscher und Vulkane liegen.

Ebenso wichtige Voraussetzung für die Entstehung von Wasserfällen wie Wasser und Höhenunterschied ist unterschiedliches Materialverhalten der Gesteine. Wasserfälle entstehen im Allgemeinen durch ungleiche Abtragung verschieden resistenter Gesteinskörper, in Island zum Beispiel Schichten aus hartem Basalt und aus weicheren Tuffen oder Schutt, Schotter. Das kann man an Dettifoss und Gullfoss wunderbar deutlich sehen. Wechsellagerung aus zum Beispiel harten Basaltbänken und weichen Schichten aus Tuffen und Böden führt dabei zu vielstufigen Kaskadentreppen wie bei den Wasserfällen im Fossárdalur. Das ist übrigens nicht auf Wasserfälle beschränkt; resistente Gesteine bilden überall Vorsprünge, Berge, Geländestufen oder eben Wasserfälle, wo Verwitterung und Erosion die Geländegestalt beherrschen.

Der Wasserfall als Prozess entsteht also überall, wenn und wo die Voraussetzungen existieren. Da sich die Erde ständig verändert, müssen die Voraussetzungen irgendwie entstehen, damit es zur Fallbildung kommt. Gefälle kann sich erhöhen und zu stärkerer turbulenter Strömung und Erosion führen, und damit zur Verstellung, unter Umständen bis zu einer senkrechten oder überhängenden Stufe. Diese Stufe ist der Fokus der Abtragung, besonders, wenn das fallende Wasser auf weicheres Gestein trifft, es effektiv ausräumt und die härtere Stufe damit auch unterhöhlt. Das führt schließlich zu einem Abbruch, also zum Rückbau des Wasserfalls. Schritt für Schritt wandert er entgegen der Fließrichtung des Wassers bergauf. Wenn das Gelände stärker ansteigt und die geologischen »Schichten« geeignet gelagert sind, schneidet sich der Wasserfall immer tiefer ins Land ein. Sollte sich das Land während dieser Zeit langsam heben, kann der Einschnitt sehr tief werden, so war es beim Grand Canyon des Colorado River und auch beim Rheintal zwischen Bingen und Bonn, und wahrscheinlich hat das auch bei Jökulsárgljúfur eine Rolle gespielt.

Wasserfälle in der Zeit

Jeder Wasserfall als Prozess hat seine Zeitkonstanten, die von vielen Faktoren abhängen: Abflussverhalten, Geschichte, Gesteinsmaterial. Der Zerstörungsprozess ist nicht aufzuhalten, da hilft kein menschliches Eingreifen zum »Schutz der Natur«! Allerdings sind natürliche Zeitkonstanten meist lang gegen unsere menschliche Lebenszeit oder die Zeiten der Erinnerung und der Überlieferung. Neben der langfristigen Entwicklung hat der Prozess allerdings auch die kurzen Zeitkonstanten der »Ereignisse« von kurzfristigen Starkfluten und Felsabbrüchen, welche große Veränderungen bewirken. Das ist das Verhalten chaotischer Prozesse, wie sie in der Natur allenthalben vorkommen, zum Beispiel Vulkanausbrüche und Erdbeben. Man kann die Veränderungen bedauern. Angemessener und viel spannender ist es, die Veränderungen und Prozesse zu beobachten und sie zu begreifen zu versuchen.

Über Zeitdauern und Geschwindigkeiten der Prozesse kann man ein paar Abschätzungen durchführen. Dettifoss ist der wasserreichste Wasserfall Islands, wo die Jökulsá á Fjöllum vierundvierzig Meter in die Tiefe stürzt, etwa 1500 m^3/s Wasser mit rund 2 kg/m^3 fein zermahlenen Feststoffen (Kubikmeter pro Sekunde und Kilogramm pro Kubikmeter). Bis hinauf zum Dettifoss ist Jökulsárgljúfurin von Kelduhverfi fünfundzwanzig Kilometer lang und bis zum seltener besuchten Selfoss sind es noch mal zwei Kilometer. Die Schlucht ist eine Kaskade von verschieden hohen Stufen, unterhalb Dettifoss noch Hafragilsfoss, Réttarfoss, Vígabjargsfoss (zum Teil kaum bekannt und zweifellos weniger spektakulär; in der Tat ist Réttarfoss im 20. Jahrhundert irgendwann so gut wie verschwunden, da das Wasser sich eine neue Rinne gegraben hatte). Im Wesentlichen ist diese Schlucht das Ergebnis nacheiszeitlicher Erosion, die bislang also etwa zehntausend Jahre gedauert hat.

Zumindest hätte eine kilometermächtige, langsam nach Norden abfließende Eismasse die steilen bis senkrechten Felswände nicht so stehen gelassen. Das bedeutet im Mittel ein Hinaufwachsen der Schlucht mit einer Rate von 2,5 m/a (Meter pro Jahr; 25 000 m in 10 000 Jahren), eine fantastische Rate!

Ziehen wir Gullfoss, den »Goldenen Wasserfall« der Hvítá, hinzu, besucht von den meisten Islandtouristen. Hvítá ist wie Jökulsá á Fjöllum ein Gletscherfluss, wie schon der Name sagt: weißer Fluss, milchig-weiß von dem feinst zerriebenen Gestein, das unter den Eisschilden Langjökull und Hofsjökull liegt. Auch Gullfoss besteht aus einer Treppe – man kann sie gut überblicken – und stürzt dann in eine schmale Schlucht, die aber über ihre Länge von drei bis fünf Kilometer wenig beachtet wird, da sie größtenteils abseits der Straßen liegt. Bei ebenfalls 10 000 Jahren Bildung war die Migrationsrate 0,5 m/a oder ⅕ der von Jökulsárgljúfur. Obwohl ich meine, auch an Gullfoss gewisse Veränderungen zu bemerken, sind diese viel geringer als bei Dettifoss, und die Diskrepanz ist vielleicht von der gleichen Größenordnung. Þórleifur Einarsson glaubt sogar, dass Gullfoss und die schmale Schlucht in heutiger Form erst im 18. Jahrhundert entstanden sind, gebildet in einer starken Flut, die durch Schneeschmelze und Regen ausgelöst wurde; diese Ansicht ist jedoch umstritten.

Die Diskrepanz beobachtbarer Erosion und Ausmaß der Schlucht ist bei Ásbyrgi noch größer: die Schlucht, etwa zwei Kilometer westlich der »Mündung« der Jökulsárgljúfur, ist fast vier Kilometer lang und hat senkrechte Basaltwände bis hundert Meter hoch, ohne dass ein nennenswerter Wasserfall oder Fluss existiert. Es tröpfelt dort am Ende meist nur ein Rinnsal herunter. Auch seit der Ablagerung der Basaltlagen könnte die Schlucht bei den derzeitigen Verhältnissen nicht ausgegraben worden sein; die Steilwände wären seitdem verwittert und zugefallen.

Was könnte die Erklärung all dieser Beobachtungen und Diskrepanzen sein? Es kommen eigentlich nur Starkfluten infrage. Sie werden überall gelegentlich beobachtet, da der Niederschlag nirgends gleichmäßig fällt. In Island kommen vor allem Wasserausbrüche aus Eiskappen und Gletschern hinzu, *jökulhlaup* genannt. Sie können verschiedene Ursachen haben. Wasseransammlungen in Calderen können plötzlich auslaufen, zumal dort auch geothermische Aktivität einer Rolle spielt. Vulkanische Ausbrüche unterm Eis sind noch effektiver, wie es die Gjálp-Eruption 1996 vorgeführt hat, bei der zunächst auch die Grímsvötn-Caldera mit dem Schmelzwasser gefüllt wurde.

Starkfluten aus Vulkangebieten unter Eiskappen bieten sich als die einzige plausible Erklärung der geschilderten Diskrepanzen zwischen den beobachteten und langfristig gemittelten Erosionsleistungen an. Alle drei genannten Schluchten haben in ihrem Einzugsgebiet gerade diese »explosive Mischung« Feuer und Eis – Vulkane unter Eis. Das trifft auch bei anderen, weniger spektakulären Schluchten zu, die nicht erwähnt wurden, und dazu passt auch, dass es in Island keine solchen Schluchten ohne das entsprechende Hinterland gibt.

Wenn der nötige Höhenunterschied nicht besteht und die Schmelzwassermassen nur wenig über Meeresniveau aus Gletschern austreten, erzeugt die »explosive Mischung« von Feuer und Eis keine Schluchten. Nach den Eruptionen des Grímsvötn-Vulkans und der Gjálp-Spalte sowie bei den häufigeren »gewöhnlichen« Entleerungen der Grímsvötn-Caldera kommt es zu *jökulhlaup*-Fluten, zum Teil gewaltigen Ausmaßes, aber es werden keine Schluchten gegraben, nur Einschnitte in ältere Moränen. Dagegen werden große Massen von Schutt und Eis hinaustransportiert und auf dem *sandur* oder Sander abgelagert. Katla-Eruptionen sind in dieser Hinsicht besonders berüchtigt, sie können zu kilometerweitem Vorbau des Sanders hinein ins Flachmeer führen. Große Sanderflächen sind also eigentlich in einem Atemzug zu nennen mit Schluchten, denn es ist – neben den neuen vulkanischen Produkten – ja das Material vom Ausräumen der Schluchten, das als Sander abgelagert wird, wo die Transportkraft des Wassers sich verteilt und entsprechend nachlässt. Die großen Sanderflächen an Islands Küsten kann man alle dieser »explosiven Mischung« zuordnen: im Norden Vestursandur und Austursandur in Kelduhverfi von Jökulsá á Fjöllum, aber auch Héraðssandur von Lagarfljót und Jökulsá á Dal (oder Brú); im Süden Skeiðarársandur (Skeiðará), Mýrdalssandur (kein ständiger Fluss, aber Katla), Landeyjasandur (Markarfljót).

Schluchten ohne Wasserfälle?

Kommen wir noch einmal auf Ásbyrgi zurück. Da heute kein nennenswerter Wasserfall vorhanden ist, ist die Entstehung eigentlich ein Rätsel. Hier könnte ein alter Ansatz der Schlucht der Jökulsá á Fjöllum liegen, der aufgegeben wurde. Das würde zu einer katastrophalen Flut am Ende der Eiszeit gut passen, welche in breiter Front das sanfte Gefälle der Lavaoberfläche hinunterraste. Das ist wahrscheinlich, denn warum sollte sich das Flussbett unter normalen Umständen verändern? Alternativ hätte das Bett durch Vulkanismus verschüttet worden sein können.

Das südliche Ende von Ásbyrgi und der Gesamteindruck legen nahe, dass es sich um ein überaus katastrophales und einmaliges Ereignis gehandelt hat. Dort befindet sich ein kleiner Teich, Botnstjörn, in einer Vertiefung, umgeben von einer Schutthalde, welche die Basaltwand im Süden fast zur Hälfte hinaufragt; nach Norden hin fällt die Halde relativ steil auf das Niveau des Bodens von Ásbyrgi ab. Der Eindruck ist überwältigend, dass es sich hierbei um Reste der Endphase des katastrophalen Wasserablaufs handelt; noch ergoss sich ein dicker Schwall Wasser durch die Kanäle in der Felsoberfläche und fiel fast hundert Meter tief über die senkrechte Felskante, lagerte seinen Schutt ab und grub ein tiefes Loch, jedoch reichte die Kraft des Wassers nicht mehr zum Abtransport des Schutts aus, und bald war mit der Flut ganz Schluss. Seither ist zu wenig geologische Zeit vergangen, als dass die sehr resistenten senkrechten Felswände von Ásbyrgi hätten in großem Stil verwittern und zugeschüttet werden können.

Wie lange mag es gedauert haben, dass die Ásbyrgi-Schlucht entstand? Es ist kaum abzuschätzen, höchstens kann man Plausibilitätsüberlegungen dazu anstellen, wie lange ein katastrophaler Ablauf dauern mag, und die Erfahrungen der Überflutung von Skeiðarársandur 1996 mögen einen Anhalt bieten. Einige Tage? Sagen wir, zwischen einem und zehn Tagen. Das entspräche bei vier Kilometer Schluchtlänge grob 0,4 bis 4 km/Tag oder knapp 150 bis 1500 km/a. Zahlen! Nicht wirklich vorstellbar, aber man hätte ja auch nicht zuschauen können. Jedenfalls könnten bei der Entstehung von Jökulsárgljúfur noch viele Fluten mitgewirkt haben; in Wirklichkeit wird es ein ganzes Spektrum von wenigen ganz großen und vielen großen und noch mehr kleineren Fluten gewesen sein, zwei Superfluten in zehntausend Jahren und im Mittel eine große Flut alle paar hundert Jahre. Das sind plausible Zahlen, aber sie sind nur spekulativer Natur.

Wie lange das Ereignis her ist, ist nicht bekannt und kann nur indirekt geschätzt werden. Flussaufwärts gibt es weitere Hinweise auf Starkflutereignisse und Vulkanausbrüche, welche Jökulsárgljúfur oberhalb Ásbyrgi zeitweilig abgeriegelt haben könnten. Die Hljóðarklettar zeigen an, dass starke Erosion stattgefunden hat. Eine gewaltige Flut sollte in der Folge einer ergiebigen Spalteneruption direkt im Bett der Jökulsá entstanden sein, denn zunächst wurde die Schlucht abgeriegelt und ein ausgedehnter See aufgestaut, der dann den Damm aus Tuffen der Eruption wegräumte. Das Wegräumen der lockeren Tuffe – unter Zurücklassung der Hljóðarklettar, die aus massiven säuligen Basaltintrusionen bestehen – geschah in sehr kurzer Zeit, nachdem der Damm erst einmal gebrochen war. Die resultierende Flut muss gewaltig gewesen sein und könnte aus der bestehenden Schlucht ausgetreten und über die sanft nach Norden abfallende Ásheiði gerast sein – in Richtung Ásbyrgi. Im Norden der Hljóðarklettar, westlich der Rauðhólar, gibt es Hinweise auf einen Abfluss in Richtung Ásheiði. Ob das allerdings die katastrophale Ásbyrgi-Flut war, scheint unsicher. Sicher ist, dass gegen Ende der großen Vereisung oder bei großen Ausbrüchen unter Vatnajökull katastrophale Fluten schon weit oberhalb der Hljóðarklettar aufgetreten sind. Nahe der heutigen Ringstraße sind jedenfalls unübersehbare Spuren einer großen Flut auch am Tuffring Hrossaborg zu sehen, der an seinen Seiten im Osten und Westen teilweise oder ganz abgetragen worden ist. Aber eine Datierung der Ásbyrgi-Flut oder -Fluten ist so nicht möglich.

Zusammenfassend kann man sagen: Schluchten ohne Wasserfälle gibt es eigentlich nicht, aber die Schluchten können noch lange weiterbestehen, wenn es die Wasserfälle nicht mehr gibt. Große Gletschertäler mit u-förmigem Querschnitt, wie Jökuldalur (Jökulsá á Brú – oder á Dal) oder die beiden Jökuldalir der Austari und der Vestari Jökulsá, die Héraðsfljót im Skagafjörður bilden, und viele andere weniger markante, haben steil in den Talboden eingeschnittene Schluchten. Diese können nur durch die Aktion von Wasserfällen eingeschnitten worden sein. Hierbei haben sehr wahrscheinlich katastrophale Fluten mitgewirkt, die aber alle nicht das Ausmaß derer der Jökulsá á Fjöllum erreichten.

Wasserfälle ohne Schluchten

Es gibt auch Wasserfälle ohne nennenswerte Schluchten, etwa Skógafoss und Seljalandsfoss in Südisland. Der Vergleich mit den Schluchten ist interessant. Beide Wasserfälle führen hauptsächlich Regenwasser ab, und das geht regelmäßiger als der Ausfluss aus Gletschern. Zwar liegen oberhalb auch vergletscherte Zentralvulkane, Eyjafjallajökull und Mýrdalsjökull, aber sie scheinen kaum nennenswerte Fluten in Richtung der beiden Flüsse erzeugt zu haben.

Skógafoss hat einen kurzen Einschnitt in das Meereskliff gegraben; an der geradlinigen Kante des Wasserfalls liegt eine verfestigte Schicht, das Gestein besteht aus Tuffen, Hyaloklastiten und harten basaltischen Intrusionen. Skógá scheint recht regelmäßig zu fließen. Sie entspringt heute in einem See, der zwischen den Ausläufern von Mýrdalsjökull und Eyjafallajökull liegt. Bis vor wenigen Jahrzehnten waren beide Eiskappen noch verschmolzen, aber sie schrumpfen wie alle Eiskappen auf Island und mehr oder weniger weltweit.

Seljalandsfoss wird von Seljalandsá gespeist, die deutlich unterhalb von Eyjafjallajökull entspringt, der Fluss ist noch kleiner und hat keine Schlucht erzeugt. Oberhalb des Wasserfalls steigt ein gestreckter abgerundeter Bergrücken zum Eyjafjallajökull auf, über den eruptionsbedingte Fluten eher zur Seite nach Süden und Norden abfließen. Der Wasserfall hat nur ein vertieftes Becken und eine durch den Fall eingekehlte Felswand erzeugt. Nebenan ist die Felswand – wie bei Skógafoss – ein fast ganz zugefallenes, verschüttetes Meereskliff, geformt kurz nach der letzten Eiszeit, als das Land von der schrumpfenden Eislast noch tief, vielleicht um hundert Meter hinuntergedrückt war. Seitdem wird das Kliff immer mehr verschüttet, wie man auf der ganzen Strecke von Seljalandsfoss bis Mýrdalssandur und jenseits bis Lómagnúpur an vielen Stellen sehen kann.

Der Hinweis auf die Steilküsten und Kliffe zeigt, dass eine grundsätzliche Ähnlichkeit zwischen Wasserfällen und Kliffs besteht. Hier allerdings sind es die Brandungswellen, welche die Zerstörungsarbeit leisten und überhängende Felswände erzeugen, welche dann immer wieder mal zum Abbruch kommen.

Betrachtet man zusammenfassend die geografische Verteilung der Flüsse mit großen Wasserfällen und solcher ohne, so kann man nur bestätigen, dass markante Schluchten nur in Gebieten vorkommen, die gelegentlich von Fluten betroffen sind, welche von Eiskappen kommen, die aktive Vulkane bedecken. Dieses »explosive Gemisch« von »Feuer und Eis« ist übrigens kein Zufall. Eiskappen bilden sich in Hochlagen mit viel Schnee und niedrigen Durchschnittstemperaturen, bei denen auch im Sommer der Schnee nicht wegschmilzt. Das ist auf den hochgebauten vulkanischen Zentren der Fall – ein weiterer Aspekt des Zusammenspiels von endogenen und exogenen Prozessen, das zur Bildung »Feuer und Eis« führt. In weitem Sinne kann man diesen Zusammenhang auch für ganz Island mitten im Atlantik konstatieren.

Die Erdwärme, die sich in den vulkanischen Zentren in Eruptionen von heißer Lava und in heißen Quellen manifestiert, verhindert nicht die Akkumulation von Eis. Das führt uns deutlich vor Augen, dass die Sonnenenergie, die täglich eingestrahlt, aber auch wieder abgestrahlt wird, die Temperaturen an der Erdoberfläche beherrscht. Dabei spielt die Erdwärme im Mittel fast überhaupt keine Rolle. Sie verhindert nicht die Bildung der Eiskappen, sie ist im Verhältnis zu den Energieströmen, die von der Sonne kommen, verschwindend gering – aber sie tritt – lokal und in unregelmäßigen Abständen – massiv auf, dann gewaltig und zerstörerisch, doch auch konstruktiv, Vulkane aufbauend. Island verdankt ihr seine Existenz.

Was wir erleben, ist ein umfassender Prozess, regelmäßig und unregelmäßig, vorhersagbar, nicht vorhersagbar, zufällig, ereignishaft, mit langen und kurzen Zeitkonstanten. Vertrautes kann plötzlich zerstört werden, Neues wird aufgebaut. Wie wir damit umgehen, ist unser Problem. Nüchternes Beobachten und Lernen, praktische Konsequenzen zu ziehen, scheint mir der beste Umgang mit der Natur. Er ist besser und menschengemäßer als Klagen. Auch einseitiges Durchsetzen wirtschaftlicher Interessen an der Öffentlichkeit vorbei ist kein vernünftiger Umgang mit der Natur, wobei Großprojekte sowieso nicht geheim zu halten sind: hier sind engagierte Gruppen wie die Medien in der Tat gefordert.

Damit ist der Bogen wieder bei »Mensch und Natur« angelangt, bei Ökonomie und Ökologie, bei Naturnutzern und Naturschützer, bei der Debatte um Kárahnjúkar und Aluminiumwerke. Es ist ein sehr komplexes Thema, bei dem eigentlich nur Fragen bleiben. Um es doch etwas zu ordnen, möchte ich mit der Natur und dem Naturschutz beginnen und dann auf die wirtschaftlichen Aspekte eingehen. Beides ist aber voneinander nicht zu trennen, und beides, aber besonders das Zweite führt uns von Island wieder auf die globalen Aspekte des Überlebens der Menschheit.

Natur scheint in Island noch »unberührt«. Viele fahren

durch Island, um Natur zu erleben. Die Wasserfälle und Schluchten gehören zu den schönsten Landschaften, in denen die Kräfte der Natur sich austoben – bis der Mensch sie zu nutzen beginnt. Gullfoss wurde gerettet dank der aufopfernden Bemühungen von Sigríður Tómasdóttir, der Tochter des Bauern von Brattholt, der den Wasserfall verkauft hatte. Die Schlucht Hafrahvammagljúfur an den Kárahnjúkar dagegen wird bald unter Wasserfluten verschwunden sein.

Aber Gullfoss – wie so viele andere Touristenattraktionen – ist keineswegs noch unberührte Natur; damit nicht alles zertrampelt wird, sind ordentliche Wege und Treppen angelegt worden, und »die Natur« wird »abgesperrt«. Hier erlebte ich meinen ersten isländischen Verkehrsstau – aber war ich nicht selbst Teil davon? Neben den interessierten Reisenden kommen immer mehr Kurztouristen – um Naturwunder wie etwa Gullfoss »abzuhaken«? Bin ich ungerecht? Dagegen war die Gegend um Kárahnjúkar so gut wie unbekannt und wurde nur von wenigen Forschern, Naturliebhabern und gut ausgerüsteten Rentierjägern besucht. Für wen oder was wollen wir die Natur schützen? Für ein paar Liebhaber Island als eine Naturoase erhalten – wie eine Serengeti für ein paar reiche Großwildjäger? Oder erschließen, verändern, umgestalten und nutzen? Wir gewöhnen uns ja an das Neue und entwickeln vielleicht bald eine neue Industrieromantik. Kann man die »reine Natur« überhaupt noch für alle Menschen erhalten, oder muss man die meisten aus der Natur raushalten? Schützt man die Natur sinnvoll, indem man sie vom Menschen abschottet, der sie nicht mehr betreten darf, jedenfalls nicht in Massen, wenn sie heil bleiben soll?

Kommen wir zu den wirtschaftlichen Aspekten. Wirtschaft ist eine Schicksalsfrage, sie ist die Basis unserer Zivilisation und unseres hohen Lebensstandards. Island ist einen Weg aus großer Armut und Not zu großem Wohlstand gegangen. Ich kenne Island fast fünfunddreißig Jahre, seitdem sind die meisten Kraftwerke gebaut worden, Þjórsá und Blanda wurden ausgebaut, auf geothermischer Basis wurden Kröfluvirkjun, Svartsengi und Nesjavellir installiert, und das Tempo hat sich weiter beschleunigt mit Kárahnjúkar und mehreren geothermischen Anlagen im Umfeld von Hengill und – konzipiert – bei Þeirstareykir im Norden. Zu den Kraftwerken gehören das fast fertige Aluminiumwerk in Reyðarfjörður und das geplante Werk bei Húsavík. Um die Abhängigkeit vom Fisch zu vermindern, will man Energie exportieren, und der einzige heute praktikable Weg dazu ist Aluminium, wie mir ein Isländer sagte.

Wenn wir Wasserkraft nutzen wollen, müssen wir gelegentlich Wasserfälle trockenlegen, Schluchten fluten, das Wasser aufstauen und in Tunneln zu den Turbinen hinleiten. Bei Búrfell fließt kaum noch Þjórsá-Wasser über Tröllukonufoss und Þjófafoss. Aber spricht nicht viel für die saubere Energie aus Wasserkraftwerken, die kein Treibhausgas ausstoßen? Wenn wir diese saubere Energiequelle nutzen wollen, müssen wir Natur verändern. Und auch geothermische Energie: ist sie nicht »natürlich«? Aber nicht ebenso Kohle, Erdöl und Gas? Allerdings ist nichts für nichts zu bekommen. Teilweise Naturzerstörung ist der Preis; geothermisches Wasser bringt auch problematische Stoffe mit. Und Reykjavík wird sauber beheizt; aber die vielen Autos verschmutzen bei ruhigen Wetterlagen die Luft, bis hin zu gelegentlichem Smog. Der wirtschaftliche Wohlstand ist nicht nur ein Segen!

Bei Großprojekten muss man außerdem überlegen, welche konkreten Gefahren sie hervorrufen. Dämme stauen Wasser etwa in Schluchten, der Sedimenttransport kommt zum Erliegen, das kann die praktische Nutzung gefährden. Was passiert bei einem extremen *jökulhlaup* aus Vatnajökull? Der erhöhte Wasserdruck, etwa 18 atü (Atmosphärenüberdruck) bei Kárahnjúkar, drückt Wasser in Spalten und »schmiert« sie, das heißt erleichtert bruchhafte Verschiebungen – Erdbeben –, wenn das Gestein unter Spannung steht. Tatsächlich haben sich die meisten Schluchten entlang vorgezeichneten Störungen eingegraben (wie man zum Beispiel unterhalb von Gullfoss gut erkennen kann), und man kann für eine mögliche Spalte unter Hafrahvammagljúfur leicht abschätzen, dass sie um zehn Zentimeter und mehr mit der Zeit auseinandergedrückt werden könnte. Wie weit haben die Ingenieure das bedacht? Bei Kárahnjúkar ist – aufgrund der heutigen geologischen und geophysikalischen Kenntnisse – die Gefahr von starken Erdbeben oder Vulkanausbrüchen allerdings geringer als bei vielen der bisherigen Anlagen, die mitten in den »aktiven Zonen« liegen. Aber ein solches »Experiment« hat man bisher in Island auch noch nie gemacht, und eine absolute Garantie kann keiner geben. Seltene Ereignisse gibt es: alle paar hundert Jahre oder schon nächstes Jahr?

Muss man gerade bei Island an globale Katastrophen denken? Island – mit seiner winzigen Bevölkerungsdichte (allerdings auch mit begrenzter Kapazität) angesichts solcher Länder wie China und Indien oder der USA und Europa. Die Probleme werden nicht in Island gelöst, aber Island kann ein lehrhaftes Beispiel für die Lösung globaler Probleme sein, wenn es uns vormacht, wie man einen lebbaren Kompromiss zwischen Naturnutz und Naturschutz schafft und wie man das Wachstum rechtzeitig in den Griff bekommt. So spielt Island mit seiner fragilen Natur eine wichtige Rolle »im Ganzen«.

Auf dem Pferderücken durchs unbekannte Hochland
Ina von Grumbkow

Den Zeltplatz Hrossaborg um neun Uhr verlassend, ritten wir den ganzen Tag in fast direkt südlicher Richtung. Die flache Plattenlava der östlichen Ódáðahraun ließ auf Meilen im Umkreis beständigen Überblick zu, und während elf Stunden hatten wir unser Tagesziel, den Herðubreið, vor uns.

Würden wir auf dem Grasplatz, an seinem Fuße – der Oase Lindir, wie sie kurzweg genannt wird –, genügend Gras finden? Zwei Tage sollten unsere zweiundzwanzig Pferde dort ausruhen, ehe der schwere Ritt in die Askja unternommen wurde. Außerdem aber mussten noch mehrere Säcke Gras geschnitten werden können, das, mitgenommen, zur Fütterung dienen sollte, gleich nach unserer Ankunft in der Askja.

Vor mehr als zwanzig Jahren war Professor Thoroddsen in Lindir gewesen, später noch einmal ein Amerikaner, um die Ersteigung des Herðubreið zu versuchen. Wie konnte sich alles verändert haben, wenn wir der Enttäuschung bei den Varmáquellen in Laki gedachten! Fanden wir aber am Fuße des Herðubreið kein Gras, so mussten wir auf dem »Wege«, den wir bis jetzt gemacht, die achtzig Kilometer zurück bis Skútustaðir, um neuerlich von dort über Svartárkot zur Askja zu reiten. Die Route über Lindir hatten wir gewählt, um ein möglichst großes Gebiet durchstreifen zu können, glaubte ich doch noch immer, ehe ich den Knebelsee und die Askja gesehen, dass ein Entkommen der Verunglückten möglich und uns vielleicht hier eine Spur von ihnen werden könne.

Den ganzen Tag bei unserem Ritt über die blaugrauen Lavaplatten der Gráfarlönd, die hie und da überstreut sind von schwarzbraunen vulkanischen Aschensanden, ohne einen Halm, ohne einen Tropfen Wasser für die Pferde und uns, gab uns allen der Gedanke an das Gras mehr als erwünscht Beschäftigung. Die Gegend erinnerte lebhaft an den Sprengisandur. Hier wie dort der unendliche Horizont, der jenseits unpassierbarer Gletscherströme mehr als ein unerreichbares Ziel aufwies, hier wie dort die monotonen Farben, die ohne Wechsel flächenhaften Formen, hier wie dort weder Gras noch Wasser.

Um sieben Uhr abends schimmert es verheißungsvoll grün vor uns auf, das kann nur die Oase Lindir sein! Die Pferde in Trab gesetzt und alles vorwärts, die Müdigkeit ist vergessen bei ihnen und bei uns. Nach einer Viertelstunde erreichen wir ein Flüsschen – inmitten von Zwergpappeln, Binsen, wenig Birkengestrüpp, Moos steht allerhand bitteres Blätterwerk, an dem die Pferde naserümpfend vorübergehen. Triebsande sind hier, freilich Wasser, aber noch kein Gras. Spärlich verteilte ausgeblichene Halme zeigten, dass hier der Sandsturm sein Werk zum Teil schon vollendet. Sigurður und Helgi untersuchen das grüne Land weiter nach Westen, nach einer Viertelstunde kommen sie zurück – »no grass«.

Kurze Zeit dürfen wir nur noch weitergehen mit den hungrigen Tieren, finden wir dann nichts, so wird umgekehrt und wir müssen unser Nachtlager aufschlagen bei der kargen Sandhaferinsel, die wir vor fünf Stunden passierten.

Also noch einmal im Trab weiter vorwärts und schon nach zehn Minuten haben wir das erste gute Gras! Jetzt sind wir bewahrt vorm Umkehren-Müssen.

Ein tiefes, gelbes Gletscherwasser wird gekreuzt und um acht Uhr abends wird abgesessen. Hart an einem mit Blumen verbrämten, melodisch rieselnden Bach werden unsere Zelte gesetzt; einige Schritt nach der anderen Seite trennt uns der gelbe Gletscherfluss – wie sich später herausstellte, ein Seitenarm der Jökulsá – von der Lava, die sich als finsteres Bollwerk türmt zu Füßen der stolzen, wie die Literatur angibt, »von ewigem Gletscher bedeckten« Felsenburg des Herðubreið.

Eine wunderbar schöne Oase inmitten der sich nach allen Seiten meilenweit erstreckenden Lavawüste Ódáðahraun war der Grasplatz Herðubreiðarlindir. Fast wie auf ihn geschrieben scheint die Einleitung zu dem Roman *Heiðarbýlið* des isländischen Dichters Jón Trausti. Ich gebe in den folgenden Zeilen meine Übersetzung eines Teils derselben wieder:

»Jene, welche an den Küsten Islands vorüberfahren, sehen wenig von dem Lande. Sie schauen die Meeresnebel und vielleicht bis hin zum wilden Polareis, sie sehen das Schäumen der Brandung über den unterseeischen Klippen, die Vogelvölker um die Wasserfälle und das Schiff inmitten. Sie sehen die riesenhohen Felsenzacken, so weit das Auge reicht, sich in Reihen nebeneinander auftürmen; sie ragen bis zum Himmel empor, und oft hüllen Wolkenmäntel ihre Spitzen ein. Auf ihrem Rücken breiten sich weite Firnflächen. In ihrer Mitten öffnen sich schmale Fjorde voller Seetücken. Kleine Handelsplätze liegen an ihrem Ufer. Rauchwölkchen ringeln sich an den Bergen empor; Segelschiffe suchen Schutz hinter den Klippenwänden. Am Ende des Fjordes schließen im bläulichen Duft verschwimmende Bergecken den Blick ins Innere ab, weit ziehen sie hinein, von dem flachen Strande. Und dann liegt dort das Land unter der Mittsommersonne wie ein blauer Streifen. Die Gletscher schimmern herab. Die Bergumrisse und das flache Land verschwimmen ineinander im dämmerblauen Duft.

Herrlich ist dieser Anblick. Manchem wird er unvergesslich bleiben.

Aber hinter diesen hochragenden Fjordbergen, hinter den Höhen, welche das Buchtende schließen, weit hinein, jenseits der schaumbeflogenen Ufersande, weit – weit drinnen im Duft der Ferne liegt ein anderer Teil Islands, so gänzlich verschieden von dem, dessen Eindruck jene auf ihren Schiffsplanken mit sich davontragen. Dort liegt das Heideland, öde und unberührt, und ist doch so wertvoll wie gute Sommerweiden. Dort lächeln grüne Sumpfwiesen und grasreiche Fleckchen, Wasserfälle und fischreiche Seen.

Wellengleich flutet das Schilfgras über weite, nie bebaute Strecken. Blauveilchen duften im Schatten der klaren Quellen. Dort blühen sie und dort vergehen sie, ohne eines Menschen Auge zu erfreuen. Die Sumpfnjoli steht kerzengerade und trägt ihr Köpfchen hoch. Sie ist gekrönt mit königlicher Hoheit. Salomo in aller seiner Herrlichkeit war nicht so gekleidet als wie eine von ihnen. Und keiner ist da, ihre Schönheit zu sehen. Der blütentragende Ebereschenstrauch fächelt sein Blätterwerk in der sanften Sommerbrise. Dort ist Gastfreundschaft der Natur, Schutz und Behagen; nicht ein einziger kommt, es heimzusuchen.

Abgründe breiten ihre Arme klaftertief, sie sind von oben bis hinab mit Grün verbrämt. Es kommt nicht eine einzige Kreatur, dies alles zu genießen, nicht einmal ein dummes Schäfchen. Freie Vogelscharen schweben über die Heide und ergreifen Besitz von Nistplätzen, wo es ihnen behagt. Schneeweiße Schwäne lassen ihre schimmernden Federn dort in einem jeden Sommer. Sie sind so sanft und zahm wie die Lämmer; sie lernten nicht, den Menschen zu fürchten.

Die andere Welt ist verborgen durch die umringenden blinkenden Gletscher und bläulichen Bergzacken, durch die schwärzlichen Lavaströme und die graubraunen Sandwüsten.

Dieser Teil Islands ist eine Welt für sich mit Sommerwonne und Wintergrauen. Er ist sehr schön, überwältigend großartig und von unendlicher Weite. Wo ist seinesgleichen! – Es sind nicht mehr viele, die noch davon zu erzählen wissen.

Jetzt, im Beginn des 20. Jahrhunderts, liegt die Volksstraße Islands draußen auf der See, in den Fjorden und um die Vorgebirge. Früher zogen sie alle durch das Land. Jeder wusste die weiten Reisewege, und sie berieten darüber ernst und langwierig. Die Heidelande waren jedem Manne bekannt, ein jeder wusste die Furten in den Flüssen zu finden. Damals wagten die Leute mühevolle und gefahrdrohende Landreisen von Kindheit an und erwarben sich Blickesschärfe auf den Gebirgspfaden. Auch durch die Ódáðahraun führten Menschenspuren und solche von Pferdehufen. Zu jener Zeit leitete der Edle sein Gefolge dort, wo es jetzt dem Führer schwierig wird, eine Wegspur zu finden. Jetzt verwachsen die alten Saumpfade in der Heide, sie werden von Erde erfüllt, vom Sandflug verschüttet. Von manchem weiß kein Mensch mehr, wie sie einst führten.

Islands schöne, majestätische Hochlande sinken in Vergessenheit und verlöschen nach und nach in dem Bewusstsein des Volkes. Ihre Namen werden vergessen.«

Der Name von Lindir ist noch nicht vergessen – die Karten Islands führen ihn weiter. Vielleicht vergehen wieder zwanzig Jahre, ehe die schweigende Schönheit durch ihren unvergänglichen Zauber andere Wanderer entzückt.

Früh am nächsten Morgen zog Herr Reck zum Berge Kólottadyngja, mit Sigurður und Trygve. So weit es möglich, ritten sie über die Lava, nach zwei Stunden kam Trygve mit den leeren Pferden zurück. Dieser Schildvulkan, elegant und ebenmäßig wie alle seiner Art, erhebt sich über einer gewaltigen kreisrunden Basis allseits gleichmäßig sanft ansteigend zu der geringen Höhe von nur 420 m über seine Umgebung, unfern vom Fuße des Herðubreið aus den unermesslichen Lavaweiten der Ódáðahraun.

Kurz nachdem sie den Zeltplatz verlassen und Helgi nach Süden geritten war, um für uns die Passierbarkeit der Lava in der Richtung zu den Dyngjufjöll zu erkunden, erhob sich ein wütender Sturm, der das Zelt umzureißen drohte. Ich suchte durch aufgestapelte Kisten und Packsättel die Südseite desselben gegen den Anprall zu schützen. Nicht lange währte es, und Sandwolken hüllten die Ferne ein. Dass zum Grasmähen nicht nur Energie, sondern auch Übung gehört, musste ich resigniert einsehen, daher blieb mir als einzige Beschäftigung, vom Zelt aus eine Farbenskizze des Flusses, der dicht an unseren Zelten vorbeirauschte, aufzunehmen.

Die Triebsandinseln, die eigenartige Vegetation der Ufer, bestehend aus kaum kniehohem Pappelgestrüpp, durchsetzt von welkendem Gras und Binsen, das alles trug eine ganz andere Physiognomie als Þúfuver und Nýidalur am Sprengisandur. Nachdem ich eine zweite Skizze von der Kólottadyngja vollendet, kehrten um acht Uhr abends Herr Reck und Sigurður sehr befriedigt von ihrer Besteigung des Berges zurück. Früher schon war Helgi gekommen, er glaubte eine gute Passage für uns gefunden zu haben, und sprach außerordentlich viel und lebhaft darüber mit Trygve.

Noch einen Tag sollten die Pferde ruhen, ehe die mühevollste Arbeit, die sie in unserem Dienst ausgeführt, für die treuen Tiere begann. So blieb auch für Herrn Reck noch ein Tag – freilich kein Ruhetag –, um diese fast nie betretene, unter den Gelehrten nur einmal vor vielen Jahren von Thoroddsen bereiste Gegend zu untersuchen. War es ein Wunder, dass das Geheimnis des 1660 m hohen Herðubreið ihn lockte, seine zähe junge Kraft zu erproben? – Noch nie waren die riesenhohen Palagonitsäulen seiner Flanken erklommen, noch nie die Schutthalden, aus denen sie jäh emporstreben, von eines Menschen Fuß betreten! – Von je galt der Berg für unbesteigbar, keiner noch versuchte, den Bann zu brechen.

Früh um acht Uhr gingen Herr Reck und Sigurður fort. Mir blieb, gleich den Pferden, ein langer Ruhetag, um Kräfte zu sammeln für den Ritt in die Askja. Während Trygve und Helgi Gras schnitten, brachte ich drei Skizzen zur Ausführung und besuchte die nahe Jökulsá i Axarfirði, an deren flachem Ufer ich lange saß, um mir unvergesslich das Bild ihrer eigenartigen Wildheit einzuprägen. Wieder tobte der Sandsturm stundenlang, aber gegen Abend wurde die Luft ganz klar.

Als die Sonne zu sinken begann, erscholl von der gegenüberliegenden Flussseite, aus der Lava, der Ruf nach den Pferden, die Reck und Sigurður durch das Wasser tragen sollten.

Eine Farbensymphonie von seltener Pracht entfaltete sich um uns. Über die weite Grasebene und die jenseitige Lava hin übergoss die Sonne mit rosigem Schimmer den sechzig Kilometer südwestlich entfernten Vatnajökull. Gegen Süden lag eine Reihe dem Keilir in Reykjanes ähnlich geformter Tuffberge, die sich wie dunkle Pyramiden kupferfarben überschienen aus der umgebenden flachen Wüste erhoben. Östlich verschwammen ferne, fremde Berge in lilalichten Tönen. Während im Westen die Kólottadyngja sich unter den sie streifenden Strahlen in duftige Schleier aufzulösen schien, kamen die beiden aus dem tiefdunklen Schatten der Lava in den im Abendrot feuersprühenden Fluss geritten – stolz und froh –, der Herðubreið war bezwungen! –

Auf der höchsten Spitze hatten sie einen Varða errichtet, für uns alle mit dem Glase gut erkennbar. Abgesehen von dem hohen wissenschaftlichen Wert, welchen diese Erstbesteigung hatte, brachte sie unserem Ritt zur Askja großen praktischen Nutzen, da es den beiden möglich gewesen, von der großen Höhe meilenweit die Gegend zu überblicken. Sie sahen, wo zwischen dem Herðubreið und den Dyngjufjöll, durch stärkste und gleichmäßigste Bimssteinüberschüttung, die Lava ihrer Unebenheiten fast beraubt und daher verhältnismäßig leicht zu passieren war.

Wohl waren sie durch die außerordentlich mühevolle und sehr gefährliche Kletterarbeit ermüdet, aber die Freude, dass das kühne Unternehmen gelungen, Ruhe und Essen erfrischten sie, sodass uns anderen noch manche Einzelheit über diese hochinteressante Bergbesteigung mitgeteilt wurde. Am fesselndsten waren die folgenden Ausführungen:

Das flache Plateau, das über den senkrechten Lavawänden die Höhe des Berges bildete, war fast erreicht, noch eine Stufe über die schwarze Lava, dann musste man über den Rand hinwegblicken können. Vorsorglich wurden die Schneebrillen aufgesetzt, um nicht von dem sonnenbeschienenen Gletscher geblendet zu werden, der ja nach den Karten dieses Plateau bedeckte. Welches Staunen, als nur schwarze Lava und ein paar schmutzige Schneeflecke sich dem Auge boten, statt der erwarteten unberührten Gletscherreinheit!

Doch die Sonne war gesunken, das Gold des Flusses verblasst in stumpfe Töne, ein kühler Wind wehte über die Weiten, und bald empfing erquickende Ruhe uns alle. –

Von Schwefeltöpfen, heißen Quellen und Geysiren – Reiseabenteuer vor 150 Jahren
William Preyer, Ferdinand Zirkel

Aufenthalt am Mückensee

Das Gehöft Reykjahlíð hatten wir zum Standquartier für die nächsten Tage bestimmt, von hier aus wollten wir ornithologische Bootsfahrten auf dem Mückensee unternehmen und Ausflüge zu den Vulkanen, Solfataren und Makkaluben in der Umgegend machen. Wenn in Island, wo der gewaltige Vulkan seine Hauptwerkstätte aufgeschlagen hat, dessen verheerende Kraftäußerungen in ihrem ganzen Verlauf und in ihren schrecklichsten Wirkungen erkannt werden wollen, so ist kein Punkt der ganzen Insel für solche Studien geeigneter und ergiebiger als die Umgegend des Mückensees.

Die ganze nördliche Seite desselben, früher üppige grasige Triften, besteht jetzt aus furchtbaren Lavaströmen, welche sich in den Jahren 1724–30 aus den nahe gelegenen Vulkanen Krafla und Leirhnjúkur ergossen haben. Die Lava ist kohlschwarz, von zahlreichen Blasenräumen durchzogen; an manchen Stellen hat sie sich in große runde Kuchen ausgebreitet, deren Oberfläche mit tauartig gedrehten Wülsten versehen ist. Der wütende Strom hat sich auf seiner Oberfläche mit einer erstarrten Rinde bekleidet, welche durch die entweichenden

Gase und die Bewegung der unterwärts fließenden Lava wiederum auseinandergeplatzt ist; die zusammengestürzten riesigen Schlackenstücke, Eisschollen beim Frühlingstauwetter vergleichbar, vermischten sich mit den neu hinzuströmenden Massen und wurden in wildester Unordnung nach allen Richtungen umhergeworfen und aufgetürmt, sodass die Lavaströme ein außerordentlich raues zerrissenes und zerborstenes Ansehen haben und dem Auge die wildesten und fantastischsten Formen vorführen. Der gewaltige Feuerstrom wälzte sich von den Vulkanen in das Tal und hat sich um jeden Felsvorsprung herumgeschlängelt.

Die Einwohner der umliegenden Meierhöfe wurden schon vorher durch das dumpfe und krachende Geräusch, welches aus dem Berge ertönte, auf die Gefahr eines Ausbruchs vorbereitet. Die Augenzeugen der schrecklichen Katastrophe berichten, dass die Steinflut *(steiná)* langsam fortfloss, indem sie alles, was ihr in den Weg kam, mit sich wegriss und große Hügel von Sand und Erde vor sich aufhäufte. »Am Tage schwebte über dem Strome eine blaue Flamme, ähnlich dem Feuer des verbrennenden Schwefels, aber nur teilweise sichtbar, wegen des dicken Rauchs, womit sie auf allen Seiten umhüllt war.« Nachts war der ganze Lavastrom mit hellem Schein umgeben, durch die zerrissene Schlackenkruste leuchtete die halbflüssige rot glühende Lava hervor, der Himmel war dunkelrot gefärbt, Blitze und große Feuerklumpen schossen durch die Luft und verkündeten den Bewohnern der entfernteren Gegenden die Schreckensszenen, die sich hier zutrugen. Das Kirchlein von Reykjahlíð ist von der vernichtenden Lava verschont geblieben; während das ganze Gehöft an den Ufern des Sees von Grund aus zerstört wurde, teilte sich der Strom an der niedrigen, aus Rasen aufgeführten Kirchhofsmauer, um sich jenseits derselben wieder zu vereinigen, sodass das Gebäude vollkommen unversehrt in der Mitte der Lava steht, welche an manchen Stellen dicht an der Mauer die doppelte Höhe der Kirche hat. Das Gotteshaus, rings umgeben von den finstern, starren und steil abfallenden Lavawänden, macht einen eigentümlichen Eindruck, wie wenn ein guter Engel seine schützenden Fittiche darübergehalten hätte.

Endlich ergoss sich der wütende Strom in den Mückensee und »kochte«, wie die Augenzeugen berichten, »einige Tage lang wie Öl im Wasser« und tötete fast alle Fische. Dadurch ist der Mückensee so ausgefüllt worden, dass seine größte Tiefe nicht dreißig Fuß übersteigt und viele kleine verbrannte Inselklippen aus ihm auftauchen, welche die ungewöhnliche Dunkelheit der Wasserfläche noch erhöhen, in der sich die umliegenden schwarzen Berge abspiegeln. Tiefes dem Tod ähnliches Schweigen lagert über dem See, in seinem Lavabett befinden sich zahlreiche Spalten und Höhlen, und heiße Quellen steigen in seiner Mitte auf, welche mit solcher Heftigkeit sieden, dass der Dampf sich zu beträchtlicher Höhe erhebt. Während der großen Eruption trocknete der See ganz aus, und erst nach acht Monaten ward ihm sein Wasser wieder zugeführt. Durch das starke Erdbeben versiegten auch die Flüsse, welche ihr Wasser in den See ergossen. Seine Oberfläche gefriert im Winter niemals und das lauwarme Wasser beherbergt eine Menge Forellen und Lachse, welche deshalb größer und besser sind als an andern Orten und im gedörrten und getrockneten Zustande als vorzügliche Leckerbissen von den Wohlhabenderen aus den entferntesten Teilen Islands unter dem Namen *Mývatns-Reyðir* verschrieben werden; doch sollen sie an Zahl gegen die frühere Generation, welche bei dem vulkanischen Ausbruch ihren Tod fand, bedeutend zurückstehen. Einige Inseln im See sind mit Gras und Engelwurz bewachsen, einer Pflanze, welche die Isländer sehr lieben und im Herbste für den Wintervorrat in Menge einsammeln.

Am ersten Morgen unsers Aufenthalts in Reykjahlíð gewahrten wir zu unserm Leidwesen, dass weder an eine ornithologische noch an eine geologische Exkursion zu denken war; der Wind, welcher mit beispielloser Heftigkeit stürmte, gestattete kaum, im Freien einen Schritt zu gehen, und nötigte uns, einen ganzen Tag im Zimmer zuzubringen. Die Luft war so mit Staub angefüllt, dass wir die den See umkränzenden Berge kaum zu sehen vermochten; den Vorteil aber brachte der Sturm mit sich, dass die Mückenschwärme um ein Bedeutendes verringert waren.

Unser Wirt, Pétur Jónsson, besitzt ein ziemlich ausgedehntes Gehöft und eine zahlreiche Familie. Sein alter Schwiegervater mit eisgrauem Haupt und Bart, mahlt allmorgendlich auf isländische Weise Mehl, welche Operation hier noch ebenso vor sich geht, wie dies bei den uralten Ägyptern Sitte war. Das Getreide kommt zwischen zwei große, runde, übereinanderliegende Lavaplatten; die untere derselben liegt fest, die obere, mit einem Pferdeknochen als Handhabe versehen, wird über der andern rund gedreht und mahlt die Körner zu Mehl. Wenn der alte Mann bei dieser langweiligen Beschäftigung eine Zigarre von uns erhält, die er für den höchsten Genuss zu erachten scheint, so ist sein Glück vollständig. Abends spielt er mit seinen Enkelchen im Lavafelde Verstecken.

Nach dem Essen schickte unser Wirt zwei Pferdeladungen von Strümpfen, welche seine Familie im verflossenen Winter und Frühjahr gestrickt hatte, nach dem Hafenorte Húsavík (Häuserbucht), von wo sie nach Dänemark verschifft werden sollten; sie sind aus Schafwolle verfertigt, und wir kauften einige Paare davon, die uns im Verlauf unserer Reise sehr zustattenkamen, da sie, bis weit über die Knie reichend, fast wasserdicht sind. Der Preis ist ausnehmend billig, das Paar kostet nur acht Sgr.

Als wir uns am folgenden Morgen von unserm Lager erhoben, hatte die Heftigkeit des Windes etwas nachgelassen, und wir beschlossen sogleich, heute den Solfataren und Makkaluben an dem nahe gelegenen Námafjall einen Tag zu widmen. Vorerst wurde ein aus Lammfleisch bestehendes Frühstück eingenommen, welches eine der Töchter des Hauses, um die Fremdlinge zu ehren, nach Anleitung eines in Akureyri im Jahre 1858 erschienenen isländischen Kochbuchs auf besondere Weise bereitet hatte.

Die gelbroten Schwefelberge sind schon aus weiter Ferne sichtbar; unser Weg führte zuerst über Wiesen in östlicher Richtung, dann über vulkanischen Sand; links lag die majestätische steile Bergpyramide des Hlíðarfjall. Bald kamen wir durch Lava, welche sich über den Sand und den Tuff ergossen hat und in den merkwürdigsten und wildesten Formen mit grotesken Zacken und Spitzen erstarrt ist; große Platten sind aufgerichtet und übereinandergewälzt und bilden seltsam geformte Höhlen. Nach Verlauf einer Stunde waren wir an dem Fuße des Höhenzugs der Solfataren angelangt; das Palagonittuffgebirge, welches diese Bergkette zusammensetzt, ist durch die Einwirkung der sauern Dämpfe im höchsten Grade zu Ton zersetzt und mit Schwefel durchzogen. Kleine Hügel aus gelbem und rotem Ton und halb zersetztem Tuff gebildet und teilweise mit mehligen Schwefelrinden überzogen, zeigen an ihrer Spitze eine heftige Dampfentwickelung. Der ganze Höhenzug ist in mehrere Spalten zerrissen, und aus den zerborstenen Felswänden dringen heißes Wasser und bleiche Dampfstrahlen mit Sausen und Zischen, oft sogar mit dröhnendem Brüllen und Schnaufen hervor. Kochende Quellen springen allerwärts aus dem Boden und verwandeln den weichen Ton in einen bodenlosen Morast. Um zu den Makkaluben oder Schlammvulkanen zu gelangen, welche auf der östlichen Seite des Höhenzugs liegen, gingen wir einem darin eingeschnittenen hochgelegenen Tale nach; wo sich dasselbe auseinandertut, eröffnete sich uns ein überaus merkwürdiger

Anblick. Wir standen am Rande einer dürren Lavaebene; im Vordergrunde eine Reihe großer kraterartiger Vertiefungen im Erdboden, eingehüllt in unermessliche Säulen eines dichten Dampfes; im Hintergrunde links die starren Lavaströme des Leirhnjúkur und der Rücken des Krafla, rechts der Bláfell, der Búrfell und andere in unbekannte Wildnis sich verlierende Berge, die nie eines Menschen Fuß betrat, ihre fernen Häupter mit schwarzblauen Wolken umgeben, welche dieser ganzen Landschaft einen unendlich düstern und öden Charakter verleihen, den einer traurigen unheimlichen Wildnis.

Voller Erwartung eilten wir auf die Dampfwolken zu, wurden aber bald genötigt, unsere Eile zu mäßigen, denn je näher wir kamen, desto unsicherer und verdächtiger wurde der ringsum dampfende Erdboden. Der Tuff, der vulkanische Sand und die basaltischen Lavaströme sind ebenfalls in weichen Tonschlamm verändert worden. Die dünne, von sublimiertem Schwefel gelblich gefärbte Kruste, welche ihn überzieht, bricht leicht unter den Füßen, sodass wir, um nicht zu versinken, langsam Schritt für Schritt auf den einen Fuß uns stützend, mit dem andern die Haltbarkeit der folgenden Stelle prüfen mussten. Schon von fern hatten wir das entsetzliche Getöse vernommen, welches die dem Erdinnern entsteigenden Dämpfe in dem flüssigen Schlamme verursachen. Endlich sind wir in ihrer unmittelbaren Nähe, wo sie ihr wundersames Spiel treiben. Wir gewahrten, von zahlreichen kleinern umgeben, sieben große Löcher im Boden, jedes mit einem Durchmesser an der Oberfläche von ungefähr fünfzehn Fuß, wie ungeheure Kessel gestaltet, oben mit einem niedrigen, nach außen abschüssigen Wulst umgeben; die Wände derselben sind fester Ton, der Kessel ist mit einem widrigen, graublauen bis blauschwarzen flüssigen Schlamme bis zehn Fuß unter die Oberfläche angefüllt. Durch diese Schlammmassen entweicht der Dampf mit unbeschreiblicher Gewalt, die

Flüssigkeit brodelt in dem Kessel wie im heftigsten Sieden begriffen; an den Seitenwänden des Kessels sind es meist kleine Blasen, welche zu einem Fuß Höhe anschwellen und dann im Zerplatzen den Schlamm nach allen Richtungen hinspritzen, in der Mitte aber wird die ganze Schlammflüssigkeit durch den Dampf, welcher sich einen Ausweg sucht, oft bis zu fünfzehn Fuß Höhe gehoben, und wie ein Springbrunnen steigt unter donnerartigem Getöse eine ganze Garbe davon in die Luft, um in langen Strahlen und faustdicken Tropfen wieder in das Becken zurückzufallen und wie in der heftigsten Brandung, starke Wellen schlagend, an den Wänden des Kessels emporzugischen. Nach jeder solchen Schlammexplosion, welche in Zeiträumen von drei bis vier Sekunden einander folgen, während an den Rändern des Kessels die ganze Masse in fortwährendem Brodeln begriffen ist, wird eine große Menge Dampf ausgehaucht; die einzelnen Eruptionen haben nicht gleiche Stärke, bald bleiben sie niedriger, bald brechen sie mit verdoppelter Wut und lautem Gebrüll wieder hervor. Sich ganz dem Rande zu nähern, ist ziemlich gefährlich; in der Nähe der großen Löcher befinden sich, nur von einer dünnen Rinde überkrustet, andere Vertiefungen, sodass, wenn man einen plötzlichen Sprung macht, um nicht von den kochenden Schlammstrahlen verbrüht zu werden, man Gefahr läuft, in glühend heiße Schichten von halb flüssigem Ton und Schwefel zu versinken.

Vergebliches Bemühen würde es sein, den Eindruck dieses feierlich ergreifenden Schauspiels schildern zu wollen. Die ganze Erscheinung ist so merkwürdig, so großartig und eigentümlich, dass wir eine Zeit lang stumm dastanden vor diesem kolossalen Naturspiel, das Tag und Nacht ununterbrochen fortdauert, in einer der einsamsten Gegenden Islands, am Rande unendlicher Lavafelder und einer undurchforschten wilden Wüstenei, selten von einem Menschen angestaunt. Wir priesen uns glücklich, einen Anblick zu genießen, der so wenigen gegönnt und eines nie erlöschenden Andenkens wert ist.

Sartorius von Waltershausen hat den Charakter dieser Schlammkessel treffend damit bezeichnet, dass, falls die Hexen in *Macbeth* für ihre infernalen Beschäftigungen noch nicht den rechten Platz gefunden hätten, der böse Feind ihnen wahrhaftig keinen bessern Rat geben könnte, als in den Námur von Reykjahlíð ihre Werkstatt aufzuschlagen.

In andern vulkanischen Regionen, wo Makkaluben oder Salsen erscheinen, hat sich der Schlamm um die Ausbruchsöffnung zu einem kegelförmigen Hügel aufgehäuft, aus dessen trichterartigem Krater der Schlamm hervorquillt oder auch zu einer Höhe von einigen Fuß aufwärtsgeschleudert wird. Bei anhaltendem Regenwetter weicht der Tonhügel auf und verwandelt sich in einen Pfuhl von Schlamm. Schon Strabon erwähnt die sizilianischen Makkaluben, welche einen flachen, abgestumpften, hundertfünfzig Fuß hohen Hügel darstellen; fast dieselbe Höhe besitzen die Schlammvulkane von Sassuolo und Querzuola in Modena und die auf der Halbinsel Taman. Ähnlich sind die von Alexander von Humboldt beschriebenen Volcanitos, zwanzig kleine Kegel südlich von Cartagena in Kolumbien. Dagegen erreichen die Eruptionen von allen erwähnten Schlammhügeln bei Weitem nicht die Höhe der isländischen; auch sind es dort meist Kohlenwasserstoffe, welche den salzigen Schlamm in Bewegung setzen.

Nachdem wir Abschied genommen, erkletterten wir mit vieler Mühe den unter 32° aufsteigenden aus schwefelgetränktem Tuff und vulkanischem Sande bestehenden Höhenzug; überall dampfte der Boden unter unsern Füßen und drohte unsere Sohlen zu verbrennen. Oben hatten wir eine weite Aussicht: im Westen den Spiegel des Mückensees mit seinen vielen Einschnitten und zahllosen Inseln, dahinter die den See umschließenden Berge, über die wir unsern Weg von Akureyri genommen hatten. Gegen Osten erblickt man, so weit das Auge reicht, eine einzige unabsehbare Fläche voll Verwüstung, deren düstere schauerliche Einöde nur durch die unaufhörlich aus den Spalten gen Himmel aufsteigenden Dampfsäulen gemildert und deren Totenstille nur durch das Gebrüll der kochenden Schlammkessel unterbrochen wird, welche tief unten liegen. Gegen Süden fängt das *Ódáðahraun* (das Lavafeld der Missetaten) an und erstreckt sich über ein Gebiet von ungefähr hundertzehn geografischen Quadratmeilen, die unwirtlichste Gegend von ganz Island. Oben auf dem Plateau befinden sich ebenfalls zahlreiche Schwefelquellen, welche den Boden in bunte Tonschichten verwandelt haben, an vielen Stellen bedeckt von großen schneeweißen Gipsplatten, einem Zersetzungsprodukt der Solfataren; ringsum erheben sich viele kleine Kegel, ungefähr von einem Fuß Höhe, aus zähem Schlamm bestehend, aus deren Spitze der Dampf pfeifend und brausend hervordringt. Mit einem Fußtritt verstopften wir die obere Ventilöffnung eines dieser Kegel und nach einigen Sekunden hatten die Dämpfe, die den gewohnten Ausweg nicht mehr fanden, eine solche Spannung erreicht, dass mit einem ziemlich heftigen Knall der ganze Kegel platzte und die Stücke davon in die Luft flogen. In einiger Entfernung von der Solfatarenkette findet sich in einer Höhle der Lava ein Dampfbad, welches in frühern Zeiten von Kranken aus entlegenen Gegenden besucht wurde. Auch der heiße flüssige Schlamm wird als eines der besten Mittel, dessen sich die Isländer zur Heilung der Hautkrankheiten bedienen, gerühmt. Auf der Ostseite des Bláfell befinden sich ähnliche Makkaluben, die Fremrinámur, die allerdings an Großartigkeit und Gewalt des Schauspiels gar nicht mit den beschriebenen zu vergleichen sind, bei denen aber früher eine ziemlich bedeutende Schwefelgewinnung stattfand. Im vorigen Jahrhundert wurde viel Schwefel nach Húsavík, einem kleinen Hafenorte am Eismeer, gebracht, wo die isländische Handelsgesellschaft in Kopenhagen eine Raffinerie angelegt hatte. Der Schwefelsand wurde in einem eisernen Topfe über das Feuer gesetzt, und wenn er zu schmelzen begann, wohl umgerührt, nachdem er vollständig im Fluss war, goss man Öl oder häufiger noch Seehundstran hinein; worauf alle Unreinigkeiten wie Schaum oben schwammen und der reine Schwefel auf dem Boden des Kessels sich ansammelte.

Am folgenden Tage, einem Sonntage, wurde frühmorgens unter allgemeiner Übereinstimmung beschlossen, da das Wetter günstig zu werden versprach, einen Ausflug nach dem Leirhnjúkur und der Krafla zu unternehmen. Außer dem getreuen Ólafur begleiteten uns unser Hauswirt, welcher mit allen Wegen und Unwegen genau bekannt war, und sein kleines Söhnchen. Den auf der Karte angegebenen direkten Pfad, welcher sich hinter dem Hlíðarfjall hinzieht, schlugen wir nicht ein, da er gänzlich unwegsam geworden war; stattdessen aber führte uns unser Wirt auf demselben Weg, den wir tags zuvor gemacht hatten, über den Solfatarenberg; in einiger Entfernung kamen wir wieder an den dampfenden Schlammpfützen vorbei. Der Weg geradeaus führt durch die Wüste Mývatns-Öræfi über den Fluss Jökulsá und den einsam gelegenen Meierhof Grímstaðir in drei starken Tagereisen nach Vopnafjörður, einem kleinen Hafenorte an der Ostküste Islands. Wir wandten uns aber nach links und ritten längs des östlichen Abhangs der nördlichen Fortsetzung der Solfatarenkette. Wo Humuserde die Berge bekleidete, wucherte, wahrscheinlich begünstigt durch die innere Erdwärme, eine merkwürdig üppige Vegetation, ausgezeichnet durch wunderschön dunkelviolett blühende Geranien.

Nach Verlauf von zwei Stunden kamen wir an ein kleines, kaum vier Fuß hohes, aus Lavasteinen und Rasen aufgeführtes Bauernhaus, eine isländische Sennhütte, welche nur im

Sommer wegen der umliegenden Viehweiden bewohnt wird; dort rasteten wir ein wenig, und der kleine Sohn unsers Wirts verblieb bei seinen Bekannten bis zu unserer Wiederkunft am Abend. Dicht vor dem Hause schlängelt ein großer, von dem Leirhnjúkur entsandter Lavastrom seine schwarzen Schollen dahin. Wir ritten nun über raue Lavafelder und wellenförmige dürre Talebenen zum Fuße des Leirhnjúkur, wo wir die Pferde auf einer kleinen Bergwiese ruhig grasen ließen. Der Berg, dessen Basis aus einem schwarzen körnigen Palagonittuff besteht, hat vier Gipfel, von denen drei erloschene Krater bilden und Lavakränze tragen, der vierte einen länglichen Kegel darstellt, welcher aus demselben Palagonittuff gebildet ist.

Der Leirhnjúkur ist durch seine schrecklichen und Verderben bringenden Eruptionen bekannt; am 11. Juni 1725 entstand während eines äußerst heftigen Erdbebens ein ausgedehnter Krater in diesem Berge, aus welchem Feuersäulen und Rauchwolken aufstiegen und Aschen- und Lavamassen in großer Menge ausgeworfen wurden. Bis 1726 tobte dieser Berg fast ununterbrochen fort, und viele warme Quellen und Schwefelpfuhle hatten sich während dieser Zeit gebildet. Im Jahre 1727 drangen aus den Schlünden wiederum Lavaströme hervor, welche die nordöstliche Umgegend zu einer vollständigen Wüste machten; 1728 war die dritte Eruption und 1729 die vierte und letzte, bei der am 30. Januar ein Lavastrom die umliegende Gegend mit der Schnelligkeit einer Wasserflut überschwemmte und am 6., 7. und 27. Juli sich wieder mehrere Lavaströme aus den Kratern und Seitenöffnungen selbst bis zum Mückensee ergossen. Die starren Lavaströme mit ihren bizarren Formen winden sich durch die Einschnitte zwischen den einzelnen Bergen, das Bett der erstarrten Feuerflut. Die drei Feuerschlote sind in nordöstlicher Richtung gruppiert: es sind zerborstene, senkrecht in die Tiefe stürzende Schlünde, von zylindrischer Rundung mit einem Schlackenkranz umgeben.

Aschen, braune, schwarze und rote Lavastücke in den sonderbarsten Gestalten, manchmal zu seltsamen Figürchen erstarrt, bedecken die ganze Umgegend; es war ein eigentümliches Gefühl, an der Stelle zu stehen, wo vor hunderteinunddreißig Jahren die alles verwüstende, glühende Lava herausquoll; ringsum stille Einsamkeit, Totenruhe, kein Mensch oder Anzeichen eines Menschen zu erblicken; auch eine erhebende Sonntagsfeier im Anstaunen der großartigsten, gewaltigsten Kraftäußerungen der Natur.

Während die meisten südeuropäischen und viele der amerikanischen Vulkane sich durch ein amphitheatralisches wallförmiges Ringgebirge, den sogenannten Erhebungskrater, auszeichnen, fehlt dieses, wie es Sartorius von Waltershausen bemerkt, bei den isländischen Vulkanen fast gänzlich. Bei jenen Zentralvulkanen hat sich die vulkanische Tätigkeit, wie es der Name ausdrückt, an einen bestimmten Mittelpunkt gebunden, bei diesen in viele parallel laufende Längenspalten aufgelöst, auf welchen oft in sehr großer Anzahl die verschiedenen Krater wie tiefe Kessel in einer Reihe liegen. Die gewöhnlichste Richtung der Spalten scheint die nordöstliche zu sein. Zwei von den Kratern des Leirhnjúkur zeigen deutlich auf ihrem Umkreise zwei einander gegenüberliegende hornförmige Spitzen, welche ziemlich hoch über den Kratersaum sich erheben; ihre Verbindungslinie trifft ebenfalls mit jener östlichen Richtung der vulkanischen Spalten zusammen. Die gleichen Hörner trägt auch die Riesengestalt des Snæfellsjökull, von Reykjavík aus gesehen.

Von der Höhe des Tuffkegels hat man die ausgedehnteste Fernsicht; die Lava- und Aschenfelder, welche den Fuß des Bergs weithin umgeben, sind unglaublich wüst und öde und gleichen einem wilden, aufgeregten dunkelschwarzen Meere. Im Osten sahen wir den Rücken der Krafla, im Nordnordwesten die langen, oben flachen, zu beiden Seiten steil abstürzenden Gæsadalsfjöll (2809 Fuß hoch), südwestlich den Hlíðarfjall (2404 Fuß hoch), südöstlich entfernt den Bláfjall. Der Tuffkegel zeigt auf der Ostseite mehrere Fumarolen, das einzige Zeichen jetziger vulkanischer Tätigkeit. Ganz in der unmittelbaren Nähe dieser Dampfexhalationen ist ein kleiner Teich mit grasgrünem Wasser von nur 51° Fahrenheit Wärme, welches auffallenderweise gar nicht nach Schwefelwasserstoff schmeckt.

Vom Leirhnjúkur, an dessen Fuße wir ein höchst frugales Mittagsmahl einnahmen, ging es über ausgedehnte Aschenstrecken und Heideland, mit Lavablöcken bedeckt, zur Krafla. Am nordwestlichen Fuße derselben führte uns Jónsson an einen kleinen See. Wir erblickten plötzlich einen jähen Abgrund zu unsern Füßen und in einer Tiefe von achtzig Fuß ein kreisförmiges, malachitgrünes Gewässer mit spiegelglatter Oberfläche, wunderschön anzuschauen. Es heißt, dieser Ort Víti, das ist Hölle, weil hier ein durch Fumarolentätigkeit eingestürzter Abgrund gähnte, in welchem sich vormals ein Schlammpfuhl befand; aus seiner Mitte stieg eine in Rauch eingehüllte Schlammsäule unter donnerndem Gebrüll in die Luft, sodass, wie Henderson sagt, welcher diesen Platz noch im Jahre 1814 besuchte, dieses schreckenvolle Schauspiel in der Seele des Beschauers die stärksten Empfindungen des Widerwillens und Abscheues hervorrief. Jetzt passt freilich dieser Name wenig mehr, da der klare grüne Seespiegel, welcher den ehemaligen Höllenschlund ausfüllt, einen mehr idyllischen als infernalischen Anblick gewährt. Dagegen scheinen die Fumarolen, welche beim Besuche von Sartorius von Waltershausen im Jahre 1846 gänzlich erstorben waren, wieder im Aufleben begriffen zu sein, wenigstens gewahrten wir am südwestlichen und nördlichen Fuße der Krafla starke Dampfentwickelung mit den in Island gewöhnlichen Zersetzungsprodukten.

In der Nähe des Víti waren wir auch so glücklich, in den zerstreut umherliegenden Blöcken, die mit dem Namen Krablit bezeichnete, noch sehr wenig bekannte Mineralspezies in solcher Quantität anzutreffen, dass alle Museen der Welt damit hätten versorgt werden können; schade, dass wir jeder nur ein halbes Dutzend großer Stücke mitnehmen konnten. Wir ritten nun um die Krafla herum, welche auch größtenteils aus Palagonittuff besteht.

In der Nähe der Krafla befindet sich der berühmte Obsidianberg Hrafntinnufjall (so genannt, weil Obsidian im Isländischen *hrafntinna,* Rabenstein, heißt) mit dem Hrafntinnuhrýggur oder Obsidianrücken. Das enge kurze Tal zwischen diesem und der Krafla ist ganz mit großen, glänzend schwarzen, muschelig brechenden Obsidianblöcken und kleinem Bruchstücken bedeckt. Der Obsidianstrom zeigt zuoberst eine ziemlich mächtige Lage von Lava, dann folgt die erste Schicht Obsidian; die zweite Schicht Obsidian, von der ersten durch Lava getrennt, ist über drei Fuß mächtig und enthält bisweilen bläulich schimmernde Stellen; manchmal erscheint die Masse nur wie ein dichtes Gewebe feiner glasartiger Fäden, ein schwarzer Bimsstein. Die unterste Obsidianlage fällt ins Körnige und Krummschalige, alle drei liegen horizontal übereinander. Welche Freude, ein Gestein, bis jetzt nur in vereinzelten kleinen und schlechten Stücken aus Sammlungen gekannt, in einer solchen Hülle und Fülle an einem der ausgezeichnetsten Fundpunkte anzutreffen; wir füllten alle Taschen voll und nahmen jeder noch ein fußlanges Stück mit auf das Pferd.

Doch bevor wir schieden, warfen wir noch einen Blick in die Ferne, in jene *terra incognita,* wo die Jökulsá, die hoch oben im Süden aus dem eisigen Vatnajökull den Ursprung nimmt, ihre kalten und breiten, von Gletscherströmen genährten Fluten durch eine unwirtliche und ausgedehnte Wildnis dahinwälzt. Dieser Punkt ist der nördlichste und östlichste, den wir überhaupt in Island erreichten, der Wendepunkt unserer ganzen Reise, von hier geht es wieder südwärts, heimwärts.

Der Rückritt nach Reykjahlíð – wir hatten noch drei Stunden – war nichts weniger als angenehm: sämtliche Taschen voll Krablit und scharfkantigem Obsidian, in der rechten Hand ein ungeheueres, wuchtiges Stück Obsidian, dessen Ränder, wie Messer scharf, uns alle Fingerglieder blutig schnitten, in der linken die Zügel und einen langen, sehr zerbrechlichen Wulst tauartig gedrehter Lava vom Leirhnjúkur, alle in ganz derselben fatalen Situation, die durch einen scharfen Ritt und allzu hochtrabende Pferde vermehrt wurde.

Auf dem Heimwege besahen wir noch einmal flüchtig die Schlammkessel und sagten dann diesen merkwürdigen Dingen Lebewohl, um sie vielleicht nie wiederzusehen.

Þingvellir

Als am folgenden Morgen (am 22. Juni) die noch übrigen sechzehn Pferde eingefangen und bepackt waren, wurde die Wanderung nach dem historisch interessantesten Punkte Islands, nach Þingvalla, fortgesetzt. Die Entfernung von Reykjavík dorthin beträgt nach isländischer Rechnung ein *þingmannaleid,* das ist eine Tagereise, welche man auf der Reise zum Althing zurückzulegen pflegte. Die Länge einer solchen Strecke beträgt ungefähr sechs geografische Meilen. Früher war dieses Längenmaß allgemein üblich, jetzt rechnet man gewöhnlich nach Stunden *(tími).*

Der Weg führte am Fuße des Grímmannsfell entlang durch einen Sumpf. Links erblickten wir den dreizackten Skálafell und kamen an einem Teiche, dem Geldíngatjörn (Schafteich), und einem kleinen See, dem Leiruvogsvatn, vorüber, an ein großes Lavafeld, das jedoch keinen so öden Eindruck machte wie das zwischen Hafnarfjörður und Krísuvík, da es zum Teil mit Gras bewachsen und mit Erde bedeckt war.

Jedoch konnten wir nirgends menschliche Wohnungen entdecken; wir sahen nichts derart als eine einsame verfallene Hütte, die jetzt wohl bei Stürmen dem Vieh Schutz gewähren mag. Nach einigen Stunden mühsamen Reitens durch die unebene Lava, auf die glühend heiß die Sonne vom wolkenlosen Himmel brannte, erblickten wir vor uns die herrliche Wasserfläche des Þingvallavatn, dessen Anblick uns neue Kräfte gab und uns die Pferde aufs Neue antreiben hieß. Plötzlich aber sahen wir uns im eiligen Laufe gehemmt, und zwar gehemmt durch ein, wie es schien, unüberwindliches Hindernis. Vor uns tat sich auf die gewaltige Almannagjá, eine der wunderbarsten Naturerscheinungen der Welt.

Wenn wir es versuchen, ein Bild von der grausigen Kluft zu entwerfen, so geschieht das im sichern Vorgefühl, auch hier wie so oft nur mangelhaft mit Worten malen zu können, denn die Almannagjá gehört zu den Dingen, welche man sehen muss, um daran zu glauben. Sie ist so ungeheuer, so kolossal, dass man sie nur in kleinerm Maßstabe sich vorzustellen vermag und sie jedes Mal, wenn wir sie wieder sehen, uns größer und imposanter erscheint als das Bild, das sie in unserm Geiste zurückließ.

Es ist in der Tat nicht übertrieben, wenn Lord Dufferin behauptet, es sei der Mühe wert, um die Erde zu reisen, nur um die Almannagjá zu sehen.

Die Ebene von Þingvalla, Þingvallasveit genannt, ist eine Einsenkung voller Risse und Spalten, die einander sämtlich parallel laufen und wie die meisten vulkanischen Spaltensysteme und Krater in Island nach Nordnordosten streichen. Von diesen Erdrissen sind zwei ganz besonders hervorzuheben, der westlichste, der Almannagjá, und der östlichste, die Hrafnagjá (Rabenkluft), beide ausgezeichnet durch ihre ungeheuere Ausdehnung.

Die Almannagjá erstreckt sich eine geografische Meile lang

vom Nordwestufer des Þingvallavatn in einer geraden ununterbrochenen Linie bis zu dem Ármannsfell. Auf beiden Seiten wird sie eingeschlossen von senkrechten riesigen Lavafelswänden, die etwa fünfzig bis siebzig Fuß voneinander entfernt, in ihrem ganzen Verlauf sich ziemlich parallel bleiben. Ihre Höhe wechselt. Die westliche Wand ist mitunter mehr als doppelt so hoch als die östliche, indem sie an einigen Stellen weit über hundert, an andern nur dreißig bis vierzig Fuß sich erhebt.

Seltsame Lavagebilde, Zacken, überhängende Vorsprünge, Zinnen, Pyramiden, Fenster, wie künstliches Werk von Menschenhänden, überraschen das von unten hinaufschauende Auge, während oben nichts in dem großen Lavafelde die Nähe des grässlichen Abgrundes verrät, bis man sich plötzlich am Rande desselben befindet. Die östliche Wand, an ihrer Innenseite (der westlichen) nur stellenweise lotrecht, dacht sich ziemlich steil auf ihrer Außenseite (der östlichen) in die Ebene von Þingvellir ab und bildet zum Teil das rechte Ufer des Flusses Öxará (Beilfluss). Dieser erhöht um ein Bedeutendes den imposanten Eindruck, den die Almannagjá ohnehin auf den Beschauer ausübt. Mit ungeheuerm, donnerähnlichem Brausen stürzt er sich über die westliche Wand in einem prachtvollen, weithin sichtbaren Wasserfall in sie hinein, strömt eine Strecke weit zwischen den Lavawänden hin, bricht dann plötzlich durch die östliche Wand und wälzt eine zweite, weniger hohe Kaskade bildend, seine verhängnisvollen Fluten dem Þingvallavatn zu; verhängnisvoll, weil vordem darin die Weiber ertränkt wurden, welche außer der Ehe Kinder geboren und diese ermordet hatten. Wo das Innere der Almannagjá nicht von diesen Fluten eingenommen wird, ist es mit üppigem Grase bewachsener Torfboden, oder es tritt die grauschwarze Lava zutage. Einzelne Zwergbirken, Saxifragen und andere harten Boden liebende Pflanzen wachsen da auf nacktem Fels.

An dem obern Rande der Kluft blieben wir erstaunt stehen, keine Möglichkeit einsehend, das weit, weit unten in der Ebene am See gelegene Þingvellir zu erreichen; die Almannagjá, deren Ende wir nicht absehen konnten, trennte uns von ihm.

Als die Führer kamen, fanden sie uns ratlos. Bald aber zeigten sie uns Mittel und Wege, weiterzureiten. Eine schneebedeckte Lavatreppe führte den Abgrund hinab, aber eine Treppe, bei der jede Stufe zu Pferde nur mit Lebensgefahr betreten werden konnte. Man muss sie hinabklettern und die Pferde ihrem Schicksal überlassen. Zu unserm Entsetzen blieben beide Führer in ihren Sätteln, und nur der unglaublichen Sicherheit der isländischen Pferde ist es zuzuschreiben, dass sie nicht verunglückten, denn jedes andere Pferd findet auch ohne Last schwerlich seinen Weg dahinunter. Als das Innere der Kluft glücklich erreicht war, befanden wir uns an der Stelle, wo neun Jahrhunderte (927–1800) lang das berühmte Althing alljährlich am 8. Juli tagte.

Einen engen Querriss in der östlichen Wand durchreitend, sahen wir uns nach wenigen weitern Schritten bergab, am rechten Ufer der Öxará, die sehr seicht war und ohne Mühe durchwatet wurde. Wir fühlten uns der Welt wiedergegeben, als wir die finstere Kluft hinter uns und den herrlichen See vor uns hatten. Dann ging es über grüne Wiesen auf die niedliche kleine Kirche von Þingvellir zu, in deren Nähe unweit der Mündung der Öxará in den See sich die Wohnung des Pfarrers Séra Símon Bech befindet, der uns freundlich mit Milch, Butter und Schwarzbrot versorgte. Unser Zelt wurde im Kirchhofe vor der Kirchtür aufgeschlagen; die Führer fanden immer noch Platz in irgendeinem Gelass des kleinen Gehöftes. Sie benutzten auf der ganzen Reise nur in unbewohnten Gegenden das ihnen bestimmte Zelt und selbst da nicht immer; in Holtavörðuheiði zum Beispiel genügte es ihnen, zu dreien sich in die Leinwand einzuwickeln, sodass nur das Gesicht frei blieb.

Nach einer kleinen Stärkung begaben wir uns sofort in die Almannagjá zurück, mit einem alten lecken Nachen des Pfarrers über den Fluss setzend, in dem gerade vier große Forellen gefangen wurden.

Bei genauerer Betrachtung der schwarzen Riesenmauern sahen wir deutlich die Stellen an beiden Seiten, die einander entsprachen, die vor der Ruptur in gleicher Höhe miteinander standen. Sie waren häufig durch horizontale Linien angedeutet. Die Felswände nämlich sind sehr scharf und deutlich abgegrenzte Lavabänke mit vertikalen Säulen. Die Almannagjá sowie die unzähligen kleinen Erdrisse im Þingvallasveit, welche sämtlich ebenfalls in auffallend parallelem Verlauf der Nordnordostrichtung folgen, sind zweifelsohne durch ein ungemein heftiges Erdbeben – vielleicht noch in geschichtlicher Zeit, aber jedenfalls vor Entdeckung der Eisinsel – entstanden, wobei wahrscheinlich durch die starke Senkung des Bodens das Bett des Þingvallavatn gebildet wurde, dessen Tiefe noch ungemessen ist. Sein Grund aber ist, soweit man dies auf einer Nachenfahrt durch das kristallhelle Wasser beobachten kann, genau von derselben Beschaffenheit wie die Ebene von Þingvellir, nämlich, wie erwähnt, durch unzählige Spalten und Einsenkungen zerrissen; auch außerhalb des Sees sind die Erdklüfte größtenteils mit Wasser angefüllt. Dieses Wasser ist ausnehmend klar, kalt und völlig geschmacklos und erquickte in der guten alten Zeit die beim Althing versammelten Staatsmänner und Richter, wie heute noch der ermüdete Wandersmann sich daran labt.

Zwei Inseln liegen im südlichen Teile des Sees: Sandey (Sandinsel) und Nesey (in der Nähe einer Halbinsel, *nes*, gelegen), die mit den umgebenden eisigen Bergen und dem malerischen Wirrwarr der Lava dem Þingvallavatn jenen Reiz verleihen, der uns fast zwingt, immer wieder aufs Neue ihn anzusehen und den schönen glatten Wasserspiegel mit seiner wildromantischen Umgebung zu bewundern. Er hat etwas von dem Zauber, der sonst nur den Seen der Schweiz eigen, und gerade der Mangel an Pflanzen, die völlige Leblosigkeit, gewissermaßen die Melancholie des Bildes ist es, welche alle, die diesen merkwürdigen See gesehen, zur Bewunderung hinriss. In Italien macht der Lago di Bolsena einen ähnlichen Eindruck, aber in viel kleinerm Maßstabe, dagegen gibt es in Griechenland, nach Gemälden wenigstens, die wir von dort gesehen, ganz die gleichen Landschaften, wie man sie so häufig in Island findet: vegetationsleere, leblose, wild zerrissene Gebirgsgegenden, durch die ein tosender Strom mit Gewalt sich Bahn bricht oder – die einen ruhigen See umschließen.

Wenn schon Þingvellir und seine Umgebung dem Künstler wie dem Geologen überreichen Stoff zum Nachdenken gibt, so ist es dem Historiker zum wenigsten ebenso interessant. Gegen das Jahr 927 wurde der erste Althing abgehalten. In diesem Jahre nämlich wählte das Volk den ersten *lögsögumaður* namens Úlfljótur zur Schlichtung der vielen Zwistigkeiten und stets sich mehrenden Grenzstreitigkeiten der Kolonisten, die von da an zum hohen Ärgernis der Könige von Norwegen eine eigene Republik bildeten. Aber erst im Jahre 1118, als das berühmte Gesetzbuch Grágás (eigentlich Gans, weil das Buch in Gänsehaut eingebunden war) allgemeine Geltung erhielt, war diese Republik vollständig konstituiert. Die Handhabung der Gesetze hatte nun, gemäß dem Grágás, und seit 1271 auch gemäß dem sogenannten Jónsbók, der *lögsögumaður* (eigentlich der Recht sprechende Mann, seit 1271 bloß *lögmaður,* Gesetzesmann) zu überwachen. Auch wurden ihm am 8. Juli jedes Jahres die schwierigen und verwickelten Rechtsfälle auf dem Althing vorgetragen, damit er eine Entscheidung treffe, während alle Bagatellprozesse untergeordneten Rechtsbeamten überlassen blieben. Doch es liegt dem Zwecke dieser Schrift zu fern, die Geschichte des Althing und untrennbar von dieser die Islands zu erzählen, besuchen wir die Stätte, wo neun Jahrhunderte lang ununterbrochen das berühmte Gericht sich versammelte.

Ein kleiner Hügel erhebt sich im nordwestlichen Teile des Þingvallasveit, der wie durch ein Spiel der Natur, obwohl fast ganz umringt von schrecklichen Abgründen, selbst doch frei blieb von der Zerstörung. Der Abgrund im Osten dieses Hügels heißt Flosagjá, die Kluft des Flosi, welcher ein Verbrecher war und hier im Jahre 1012 verurteilt werden sollte. Aber durch einen ungeheuern Sprung über die Erdspalte rettete er sein Leben. Die Stelle heißt daher Flosahlaup, Flosisprung. Auf der Westseite des Hügels liegt die Nikulásargjá, Nikolaskluft, weil der Sysselmann Nikulás Magnússon sich aus Furcht vor dem unglücklichen Ausgange eines Prozesses, in den er verwickelt war, in dieselbe hineinstürzte.

Auf dem von diesen Abgründen eingeschlossenen Hügel, dem *lögberg,* Gesetzesberg, wurde in weltlichen Dingen Recht gesprochen. Dies war die *lögretta.* Davon durch die Öxará getrennt, befand sich in der Almannagjá der Sitz des geistlichen Gerichts, *prestastefna* (Priesterrat). Ebenda ist noch der Felsvorsprung zu sehen, von dem herab die der Hexerei beschuldigten und zum Tode verurteilten Männer und Frauen in den brennenden Scheiterhaufen gestürzt wurden (zuletzt 1685).

Sonst aber erinnert hier nichts an die große Vergangenheit des Ortes. Freilich wurden keine Gebäude errichtet, deren Trümmer jetzt zeugen könnten von dem Leben, welches ehedem hier herrschte. Man versammelte sich unter freiem Himmel, schlug Zelte auf und Buden, die wie hergezaubert die ganze Ebene von Þingvellir bedeckten und das Innere der Almannagjá, soweit daselbst Gras wächst. Erst im vorigen Jahrhundert ward für den Gesetzesmann ein Haus aus Lavablöcken erbaut; doch sehr bald zerfiel es, und die Steine wurden zu andern Zwecken benutzt, sodass man davon keine Spur mehr zu entdecken vermag.

Séra Símon, welcher seit einundzwanzig Jahren Pfarrer von Þingvellir ist und nie die Insel verlassen hat, zeigte uns seine einfache Wohnung, die nur aus wenigen Räumen besteht und teilweise, wie fast alle Häuser im Südlande, mit Gras bewachsen ist. Auch führte er uns in die neue Kirche, welche im Jahre 1859 für achthundert dänische Reichstaler (ungefähr 578 deutsche Taler) gebaut wurde. Sie ist eine *annexia* (Nebenkirche) im Gegensatz zu *aðalkírkja* (Hauptkirche). Letztere sind doppelt so groß wie Erstere und fassen auf dreißig bis zweiunddreißig Bänken etwa hundert Personen. Alle Kirchen Islands, mit Ausnahme der drei »Kathedralen« zu Reykjavík, Skálholt und Hólar, sind aus importiertem Holz gebaut und von außen meist schwarz beteert.

Das bescheidene Gotteshaus zu Þingvellir ist vor der Mehrzahl der isländischen Kirchen dadurch ausgezeichnet, dass die Bänke sauber weiß angestrichen sind; auch der Fußboden ist glänzend weiß gescheuert und kontrastiert mit der grell bunt bemalten Kanzel scharf gegen die dunkle äußere Hülle und die düstere Lava, welche sie umgibt.

Sonnabend, den 23. Juni, ward bald nach acht Uhr aufgebrochen, um nach Reykholt zu gelangen, wohin wir durch Briefe aus Reykjavík freundlichst empfohlen waren. Séra Símon Bech sattelte selbst sein Pferd und begleitete uns eine weite Strecke, die Führer aber, welche nach uns Þingvellir verließen, konnten uns nicht folgen und hatten eine andere Richtung eingeschlagen. Nachdem wir ihretwegen in Besorgnis auf einer mit Zwergbirken reichlich bewachsenen Anhöhe geraume Zeit gewartet hatten und nichts von unserm langen Pferdezuge auf der Ebene erblicken konnten, machte sich der gute Pfarrer selbst auf den Weg, sie zu suchen. Endlich kamen sie, und wir nahmen von Séra Símon Bech nach einer lebhaft geführten lateinischen Unterhaltung herzlichen Abschied mit den Worten: »Auf Wiedersehen in Þingvellir«.

Die Geysire

Der Geysirbezirk liegt am Fuße eines steilen, nicht sehr hoch sich erhebenden Hügels in einer etwas über zwei Meilen breiten Ebene, welche, wohl ohne Zweifel das Bett eines alten Fjords, sich nach dem Meere zu erstreckt und dem Auge als ein ausgedehnter grüner Teppich von moorigen grasreichen Triften erscheint, durchschlängelt von dem Tungnafljót und mehreren kleineren Flüssen, die sich am Ausgange des Tals mit der Hvitá verbinden. Gegen Nordosten begrenzt der Bláfell diese beinahe waagerechte Ebene, ein hoher ausgebrannter Vulkan am Saume der Wüste, dessen oberster Gipfel teilweise in Nebel gehüllt ist und dessen steile Abstürze, von jeglicher Vegetation entblößt, tiefe, mit Schneemassen angefüllte Furchen und Schlünde darbieten. Umgeben ist er von andern zerrissenen Bergmassen, die sich im Innern der Insel zu riesenhaften Gestalten auftürmen: Flache Hügelketten umsäumen gegen Ost und Südwest das Tal; sie überragt, von höhern Punkten aus gesehen, die mit ihrem Schneemantel bekleidete Hekla. Die Höhe der Quellen über Reykjavík beträgt nach der Berechnung von Bunsen hundertzehn Meter.

Die hauptsächlichsten Quellen liegen hier ganz dicht nebeneinander, die beiden äußersten kaum mehr als sechshundert Fuß voneinander entfernt. Wir eilten von einer Quelle zur andern; alle waren vollkommen ruhig, wir traten aber mit einem Gefühl an ihre Ränder hinan, mit welchem man sich dem Verderben drohenden Krater eines schlummernden Vulkans nähert.

Der große Geysir hat sich aus kieseligen Tuffen und Sintern einen flach gewölbten Kegel von hellaschgrauer Farbe aufgebaut; die Höhe dieses Kegels beträgt dreißig Fuß über der Talfläche und der Durchmesser etwas weniger als zweihundert Fuß; seine Böschung ist sehr flach, da er gegen Osten und Norden sich nur mit 9–10°, gegen Westen und Süden aber kaum mit 7° abdacht. Dieser Kegel ist gerade wie ein Vulkan gebildet, indem auf dem Gipfel sich ein fast kreisrundes, kesselartiges Becken einsenkt, dessen innerer Abfall ebenfalls ziemlich flach geneigt ist. In dem tiefsten Punkte in der Mitte dieses Bassins ist das eigentlich trichterartige Rohr der Quelle, 75,5 Fuß senkrecht hinabsteigend, angesetzt. Das Bassin misst an seinem obern Rande achtundfünfzig Fuß im Durchmesser und besitzt in der Mitte eine Tiefe von sechs bis sieben Fuß. Das Quellenrohr hat bei seiner Ausmündung in das flache Becken einen Durchmesser von ungefähr zwölf Fuß, nach unten zu verengt es sich aber noch um einige Fuß. Die Innenseite des Beckens, mit Kieselinkrustationen bekleidet, bietet eine weißliche Oberfläche dar; die tiefsten Stellen desselben sowie der hinuntersteigende rohrartige Kanal selbst, dessen Wandungen in fortwährender Berührung mit dem Quellwasser bleiben, werden durch die Reibung so glatt erhalten, dass sie wie poliert erscheinen. Wir fanden das Becken mit kristallhellem, bläulich grünem Wasser angefüllt, welches zwar eine Temperatur von 98° C besaß, aber vollkommen ruhig und spiegelglatt dalag und von so wunderbarer Durchsichtigkeit war, dass wir den ganzen innern Bau des Apparats und die zartesten blumenkohlartigen Gebilde an den feinen Krusten erkennen konnten, welche den innern Abhang des Beckens bedecken. An der südöstlichen Böschung des Kegels befinden sich drei kleine Einschnitte, die Abflussrinnen für das Wasser, welches, der äußern Neigung folgend, langsam hinabrieselt.

Unter den zahlreichen in der Nähe befindlichen Quellen erregt diejenige, welche Strokkur (Butterfass) heißt, besonderes Interesse; diese Quelle, deren Namen man meistens mit dem Geysir aufgeführt findet, liegt kaum hundert Schritte von letzterm entfernt; ihr äußeres Ansehen ist aber von jenem sehr verschieden. Sie hat sich an ihrer Mündung keinen hohen Eruptionskegel von Kieseltuff mit kesselartigem Bassin aufgebaut wie der große Geysir, sondern ihre Öffnung ist nur von einem wulstförmigen, kaum vier Zoll hohen Rande umsäumt, welcher aus einem braunen festen Sinter besteht. Unmittelbar von der Oberfläche senkt sich die Röhre hinab. An der Mündung hat dieser Kanal einen Durchmesser von 7,3 Fuß, in einer Tiefe von sechsundzwanzig Fuß aber verengt sich derselbe so sehr, dass er nur noch eine Breite von einem Fuß besitzt. Das Wasser steht gewöhnlich zehn bis dreizehn Fuß unterhalb der Oberfläche und ist fortwährend in starkem Wallen und Aufkochen begriffen, ohne dabei höher aufzusteigen oder tiefer hinabzusinken.

Nachdem wir eine flüchtige Rundschau unter all den verschiedenen Kochbrunnen gehalten, beschlossen wir, uns davon zu überzeugen, ob man wirklich, was frühere Reisende teils versichern, teils verneinen, imstande ist, den Strokkur durch Hineinwerfen von Steinen und Erde in dem untern Teile seiner Trichterröhre zu verstopfen und zu einer Eruption zu nötigen. Rasch waren wir alle sieben damit beschäftigt, breite Platten und größere Blöcke von Kieseltuff herbeizuschleppen, Rasenschollen auszustechen, Erde herbeizutragen und dann in den Strokkurschlund hinabzustürzen; allein nach halbstündiger Arbeit war noch keine Veränderung in der Höhe und dem Gebaren der Wassersäule eingetreten, wiewohl wir dem Ungeheuer eine beträchtliche Ladung in den gähnenden Rachen geworfen. Wir verzichteten nun darauf, jenes einigermaßen komische Schauspiel zu genießen, und zogen uns nach dem etwa vier Minuten entfernten Gehöft Laugar zurück, um uns dort von der anstrengenden Arbeit zu erholen.

Der Bauer, dessen armselige Hütte Fremde aus allen Weltteilen beherbergt hatte, besitzt ein ziemlich geschliffenes Wesen und sehr anständige Manieren; er erzählte uns, dass ein

Engländer zwei Tage an den Geysiren zugebracht und dieselben am Mittag, gerade nach der letzten Eruption des Geysirs, verlassen habe; ferner dass der Strokkur seit Anfang Juni gänzlich erloschen scheine und dass wir wenig Hoffnung hätten, ihn springen zu sehen. Wir unterhielten uns noch einige Zeit mit ihm, aber lange konnten wir es in der niedrigen, dumpfigen Stube nicht aushalten und eilten wieder hinaus in das Freie.

Während wir den Geysiren zuschlenderten, schlug plötzlich ein dumpfer Laut an unser Ohr, und siehe da, in der Gegend, wo der Strokkur lag, stieg mit unbeschreiblicher Gewalt eine mächtige Dampfsäule bis zu den Wolken empor; ihr folgte, eingehüllt in dichte Massen von Dampf, eine kolossale Wassersäule, welche unter furchtbar brüllendem Geräusch aus dem Schlunde herausgeschleudert wurde und sich in die Luft zu außerordentlicher Höhe erhob. Kaum hatte diese Wassermaße begonnen, wieder zurückzusinken, als neue mit verdoppelter Kraft und noch betäubenderem Tosen hervorbrechende Garben das Spiel weiter fortsetzten. Bisweilen trat für einige Augenblicke eine Pause ein, und dann spritzten nach allen Richtungen mit zischendem Geräusch kleinere Strahlen siedenden Wassers aus der Mündung hervor, den Dampf durchbrechend, der diese einhüllte. Die Höhe, bis zu welcher die Säulen emporstiegen, war unregelmäßig, bald größer, bald kleiner, manche erreichten wenigstens achtzig bis hundert Fuß. Das Wasser war durch die zerkochten Erdschollen und Rasenstücke schokoladenfarbig und braungelb gefärbt. Steine, mit denen wir die Röhre verstopft hatten, wurden zu Höhen emporgeschleudert, dass sie fast unsern Augen entschwanden; manche davon stiegen in so genau senkrechter Richtung auf, dass sie wieder in die Röhre zurückfielen und als mächtige Bälle dem riesigen Springbrunnen zum Spielzeug dienten; zuletzt nahm die Höhe der Wassererüsse immer mehr ab, unvermutet schossen wie Blitze noch einmal ein paar nacheinander hoch hinauf in die Lüfte, aber dann war die ganze Erscheinung, nach sechs Minuten, verschwunden. Als keine Gefahr mehr bevorstand, unversehens verbrüht zu werden, näherten wir uns dem Brunnenrohre, um dessen Mündung der Boden noch ganz mit heißem, schmutzigem Wasser überschwemmt war, und schauten neugierig in den Trichter hinab. Wer an Schwindel leidet, darf dem Rande nicht zu nahe treten. Der Bauer in Laugar erzählte uns, dass mitunter Kühe, Pferde und Schafe in die Tiefe hineinfallen und in einem gänzlich zerkochten Zustande wieder ausgeworfen werden. Im Nordlande hat der Öxahver daher seinen Namen erhalten.

Die Wassersäule im Innern hatte ein tieferes Niveau als vor der Eruption und wallte im heftigen Kochen auf; bisweilen schwoll ihre Oberfläche noch einmal halbkugelartig an und schien sich erheben zu wollen, aber es platzten nur die Beulen und Blasen auf der Rundung.

Wir hatten mit atemloser Spannung und Bewunderung dem merkwürdigen Schauspiele zugesehen, und immer, wenn eine Wassermasse sich zu noch nicht erreichter Höhe erhob, unwillkürlich in die Hände geklatscht und der höchst gelungenen Vorstellung, gegen welche in der Tat jegliche Wasserkunst der Menschen nur eine Miniaturkopie ist, ein lebhaftes Bravo zugerufen; allein Ólafur schüttelte sein Haupt und sprach mit bedeutsamem Lächeln sein stereotypes *Ekki godt!* aus; und er hatte ganz recht, der Anblick, den wir heute genossen, war nichts im Vergleich mit dem, der uns morgen zuteilwerden sollte.

Gegen sieben Uhr zogen wir uns in unser Zelt zurück. Obschon eigentlich gar keine Aussicht da war, dass der Geysir diese Nacht losbrechen werde, so wollten wir doch gewissenhaft jede Veränderung, die mit ihm vorging, beobachten und beschlossen daher, bis tief in die Nacht hinein gemeinschaftlich zusammen aufzubleiben, dann sollte jeder von uns eine Wache übernehmen.

Mit dem siedenden Geysirwasser kochten wir uns einen starken Tee. Da die Tage sich schon so verkürzt hatten, dass um zehn Uhr die Dämmerung einzubrechen begann, waren wir genötigt, zum ersten Mal auf der ganzen Tour das Innere unsers Zeltes durch ein Licht zu erhellen. Die Zelttür ward zurückgeschlagen, und so saßen wir da, voller Erwartung der Dinge, die da kommen sollten.

Plötzlich vernahmen wir ein dumpfes donnerartiges Geräusch wie eine entfernte Kanonade, welche unter unsern Füßen abgefeuert zu werden schien, bald lebhafter wurde und in mehrere rasch aufeinanderfolgende Schüsse überging; eiligst stürzten wir aus dem Zelte und fühlten, wie die Umgebung des Geysirkegels in eine zitternde auf- und abschwankende Bewegung versetzt wurde; zugleich sahen wir, dass das Wasser im Becken anschwoll, seine Oberfläche sich nach oben halbkugelförmig wölbte und große Dampfmassen aus dem Röhrenschlunde emporstiegen, welche das Wasser zu einer Höhe von sechs bis zehn Fuß emporschleuderten. Nach kaum zwei Minuten trat vollständige Ruhe ein; die den Kegel umlagernden Dampfmassen wurden durch einen leichten Windstoß zerteilt, und als wir hinzueilten, rieselte das Wasser von allen Seiten den Abhang hinunter, im Bassin aber war der Spiegel wieder ganz glatt und bewegungslos.

Durch solchen falschen Lärm wurden wir im Verlauf der Nacht noch ein paar Mal in unserer Ruhe gestört; jedes Mal eilten wir unwillkürlich Hals über Kopf in das Freie, obschon wir nicht erwarten konnten, dass sich schon eine Hauptexplosion ereignen würde, da zwischen diesen immer ein längerer Zwischenraum liegt.

Der folgende Tag war noch dem Aufenthalte an den Geysiren gewidmet. Im Ganzen liegen um den Geysir und Strokkur noch vierzig bis fünfzig verschiedene kleinere Quellen und Sprudel; aus einer Vergleichung ihrer Lage zueinander kommt man zu der Einsicht, dass die sie alle umschließende Linie eine sehr lang gestreckte Ellipse ist, deren größte Ausdehnung von Nordnordost nach Südsüdwest ist; sie liegen wohl auf zahlreichen, in dieser Richtung parallel nebeneinander herlaufenden Spalten. Nordnordöstlich vom großen Geysir zeigen sich in ziemlicher Entfernung noch die Spuren von zwei andern Quellensystemen, deren Tätigkeit jetzt versiegt ist; dieselben folgen also der nämlichen Richtung.

Neben dem großen Geysir und dem Strokkur ist die bedeutendste Quelle der kleine Geysir, der meistens alle zwei Stunden sein Wasser zwölf bis zwanzig Fuß hoch spritzt. Zwischen dem großen Geysir und dem Strokkur, am Abhange eines kleinen Felsenhügels, dem Fuße des Laugarfjall, befindet sich eine ziemlich bedeutende Öffnung, aus welcher ungefähr alle fünf Minuten mit großer Heftigkeit und bald sausendem, bald zischendem Geräusch plötzlich ein mächtiger Dampfstrahl hervordringt; diese Stelle wird mit großer Wahrscheinlichkeit für diejenige gehalten, an welcher noch im Jahre 1789, als John Stanley die Geysire besuchte, der von ihm so genannte brüllende Geysir sein Spiel trieb. In dem sehr lehrreichen und interessanten Bericht *An account of the hot springs in Iceland,* welcher in den Verhandlungen der königlichen Gesellschaft von Edinburgh mitgeteilt ist, beschreibt er denselben folgendermaßen: »Eine der merkwürdigsten dieser Quellen warf eine große Menge Wasser aus und wegen des fortwährenden Geräusches, welches sie verursachte, nannten wir sie den brüllenden Geysir. Die Ausbrüche dieses Springbrunnens waren unablässig. Alle vier bis fünf Minuten schoss das Wasser mit Ungestüm in die Höhe und bedeckte mit den Stoffen, die sich aus ihm absetzten, die Oberfläche in einem weiten Umkreise. Die Strahlen stiegen zu einer Höhe von dreißig bis vierzig Fuß auf und zerstoben in die feinsten Schaumteilchen, von starken Dampfwolken umgeben. Die Quelle lag 80 Ellen vom Geysir, da, wo der Hügel sich erhebt.«

Bei dem Erdbeben, welches im Jahre 1789 diesen Teil von Island traf, wurde die Röhre dieser Quelle zusammengedrückt und so verengt, dass aus ihr keine Wassermassen, sondern nur Dämpfe auszuströmen vermögen.

Etwa hundertfünfzig Schritte vom großen Geysir liegen mehrere ausgedehnte Teiche, deren Schönheiten kaum zu beschreiben sind. Die Umrisse sind unregelmäßig, jeder ungefähr fünfzehn bis zwanzig Fuß breit und dreißig Fuß tief, angefüllt bis an den Rand mit ganz ruhigem, fast kochendem Wasser, so klar wie Kristall und so durchsichtig, dass man bis auf den Grund schauen konnte. Die einzelnen Bassins sind durch schmale Scheidewände voneinander getrennt, welche ebenso wie die andern Seiten aus Kieselsinter bestehen; die weißen Zacken und Spitzen, welche in den fantastischsten Formen die Wände dieser gewölbten Grotten oft mit farnkrautartiger Feinheit bekleiden, erscheinen durch das bald seladongrüne, bald amethystblaue Wasser in wunderbarer Pracht. Aladins Zaubergrotte konnte nicht schöner sein und selbst die Blaue Grotte bei Capri macht keinen so feenhaften Eindruck.

Wenn man an den Rand schreitet und in die Tiefe hinabschaut, gewahrt man, dass man sich auf einem höchst gefährlichen Gerüst bewegt, in dem die Höhlungen sich weit unter dem Boden hin erstrecken und die Kruste von zerbröckelndem Kieselsinter, welche das siedende Wasser überwölbt, kaum ein Fuß dick ist, sodass ein heißes Bad leicht den Vorwitz bestrafen könnte, die Schönheiten dieser Grotten allzu genau erforschen zu wollen.

In der Nähe dieser Höhlen befindet sich der kleine Strokkur, welcher jede halbe Stunde große Dampfmassen entwickelt und dann sein Wasser sechs bis zehn Fuß hoch emporschleudert; die Dauer eines solchen Ausbruchs beträgt nur dreißig Sekunden.

Das Wasser sämtlicher Kochbrunnen setzt die Kieselerde, die es in ansehnlicher Menge unter starkem Druck und hoher Temperatur aus den Gesteinsmassen aufgelöst hat, in Form von Tuffen und Sintern ab. Das Auflösungsmittel der Kieselerde ist bekanntlich das kohlensaure Natron, und beim Erkalten, hauptsächlich aber beim Verdunsten des Wassers, schlägt sich die Kieselerde nieder. Auf weite Erstreckung besteht die Oberfläche in der Umgebung dieser Sprudel aus einer starken Kruste dieser Absätze, aus welchen auch die Bassins und Röhren der Quellen aufgebaut sind. Die rieselnden Bäche, welche dem Becken entfließen, setzen in ihrem Bette und besonders stark an ihren Ufern Rinden von Kieselsinter ab, welche meist aus feinen, papierdünnen, wellenförmig übereinanderliegenden Schichten bestehen, namentlich das Bächlein Bæná (Versteinerungsfluss) zeichnet sich aus durch Schönheit und Menge der Petrefakten an seinen Ufern. Auch alle Körper, welche vom Wasser dieser Quellen benetzt werden, überziehen sich in kurzer Zeit mit einer dickern oder dünnern Kruste. So kommen in der Nähe der Geysire verkieselte Pflanzenüberreste in besonders großer Menge vor. Die zartesten Nerven von Birken- und Weidenblättern, die feinsten gesägten Rippen auf der Oberfläche der Schachtelhalme sind höchst getreu abgedrückt, unzählige Abdrücke von Gräsern und Zweigen von kleinen kriechenden Gesträuchen, ja von Blumen, finden sich in seltener Schönheit in den Tuffen eingeschlossen; ganze Torfstücke sind in Kieselsinter und fingerdicke Reiser in einen dunkelbraunen Holzstein umgewandelt. Während wir damit beschäftigt waren, von diesen zarten Gebilden zu sammeln, wurden wir durch einen Anblick überrascht und entzückt, der wenigen der frühern Reisenden zuteilgeworden ist: durch eine riesenhafte freiwillige Eruption des Strokkur. Hinter unserm Rücken erdröhnte plötzlich unterirdisches Donnern, um den Strokkur schoss eine Säule dichten weißen Dampfes mit Pfeilgeschwindigkeit in die Lüfte; in der Mitte umhüllte dieselbe einen zylindrischen Wasserstrahl von wenigstens zehn Fuß Durchmesser, welcher sich nach oben zu wie eine kolossale Pinie in verschiedene Arme zerteilte, deren Spitzen in blendend weißen Staub gelöst, nach allen Richtungen hin zerstoben; kaum war die Säule ebenso rasch, wie sie in die Höhe emporstieg, auch wieder bis zur Hälfte zurückgesunken, als sie sich mit erstaunlicher Schnelligkeit und betäubendem Gebrüll zu noch größerer Höhe erhob, sodass man sie kaum mit den Augen verfolgen konnte. Aus der Dampfhülle fuhren wie Raketen mit sausendem Zischen unzählige andere Strahlen in geneigten Bogen hervor, welche sich ebenfalls in feinen Staubregen auflösten, dessen Perlen langsam zur Erde fallen; unermessliche Dampfwolken umlagern die ganze Erscheinung. Bald scheint es, als ob die riesigen Kräfte erschöpft seien und die ermattete Säule zusammenbrechen wolle; aber nur um mit noch größerer Geschwindigkeit unter noch lauterem Donner in noch nicht erreichte Höhen emporzusteigen. So groß war die Gewalt des Dampfes, dass, obschon der Wind ziemlich stark ging, die Säule um nichts in ihrer senkrechten Richtung abgelenkt wurde. Dies wundersame Schauspiel währte fünfzehn Minuten lang, bis endlich die Gewalt ausgetobt hatte und die Wassersäule zusammenstürzte, um sich nicht mehr zu erheben; die höchste Höhe, welche sie erreichte, betrug hundertvierzig Fuß.

Der Beschreibungen von der Eruption dieser Springquellen sind schon viele versucht, aber keine Feder und kein noch so beredtes Wort kann einen auch nur entfernten Begriff von der wunderbaren Großartigkeit dieses Schauspiels geben.

Etwa hundertfünfzig Schritte nordwestlich von dem großen

Geysir befinden sich in einer Schlucht Schwefelquellen, welche von ganz derselben Natur sind wie diejenigen, welche wir zu Krísuvík und Reykjahlíð am Mückensee zu beobachten Gelegenheit hatten, nur mit dem Unterschiede, dass die schwefelige Säure fast ganz zurücktritt; auch hier dringt wieder Schwefelwasserstoffgas mit Dampfstrahlen unter brüllendem Schnaufen aus Spalten hervor. Kochender und sprudelnder Tonbrei sowie bunt gefärbte Lagen von festem Ton sind auch hier die gewöhnlichen Zersetzungsprodukte.

Die vorläufigen Ausbrüche des großen Geysirs wiederholten sich während des ganzen Tags; aus unsern mit möglichster Genauigkeit während zweier Tage angefertigten Notizen lässt sich nicht ersehen, dass irgendeine Regelmäßigkeit in ihrem Eintreten zu bemerken ist. Krug von Nidda sagt, dass sie sich auf eine überraschende Weise in regelmäßigen Perioden von zwei Stunden wiederholen, während Sartorius von Waltershausen aufgrund sorgfältiger Aufzeichnungen gefunden hat, dass diese Detonationen in Zwischenräumen von einer Stunde und zwanzig bis dreißig Minuten mit großer Regelmäßigkeit einander folgen.

Die Nacht vom Freitag auf den Sonnabend brachten wir auf dieselbe Weise zu wie die vorige, auf der Wacht, um einen Hauptausbruch des großen Geysirs nicht zu versäumen, obschon wir kaum erwarten durften, dass derselbe den des Strokkur, welchen wir am gestrigen Morgen bewundert hatten, weder an Höhe und Gewaltigkeit noch an imposanter Schönheit übertreffen würde. Doch auch diese Nacht verging, ohne dass das erwünschte Ereignis eintrat. Um zwölf Uhr weckte uns Mr. Hay, welcher gerade die Wache hatte, mit der Meldung, die Detonationen und das Zittern des Geysirkegels seien furchtbar; zwar erfolgte wiederum nur eine sogenannte vorläufige Eruption, allein es war eine ziemlich bedeutende und die Nachtzeit trug das Ihrige dazu bei, das Interessante der Szene zu steigern. Der Himmel war mit dunkeln Wolken bedeckt, in der Nähe erhob sich aus dem Zwielicht der aschgraue Kegel des Geysirs, ringsum die düstere Landschaft, die entferntern Bergzüge in die schwarzen Schatten der Nacht eingehüllt. Das unheimliche unterirdische Donnern ward durch das Aufsteigen der Wassermasse im Bassin beendigt, welche wie eine große Halbkugel von zehn Fuß Höhe sich erhob und dann zusammenbrechend über die Ränder des Beckens herabstürzte. Die Dampfwolken wirbelten zum Himmel empor; da mit einem Mal begannen zu gleicher Zeit auch der große Strokkur und der kleine Geysir zu springen und der alte brüllende Geysir strengte sich an, unter grässlichem Schnauben seines Dampfes sich zu entledigen – ein schlimmer Aufenthalt zur Mitternachtszeit inmitten all dieser aufgeregten Wassergeister.

Da wir unmöglich längere Zeit darauf verwenden konnten, einen Ausbruch des großen Geysirs abzuwarten, so beschlossen wir, die sämtlichen Packpferde, sogar die Gewehre nicht ausgenommen, mit Árni und einem andern jungen Burschen frühmorgens nach Þingvellir vorauszuschicken; wir selbst wollten dann, um nichts unversucht zu lassen, noch bis zum Beginn des Nachmittags hierbleiben und dann durch einen scharfen Ritt auf den neu gestärkten Pferden jene Strecke, die der Bauer in Laugar auf zehn Stunden schätze, zurücklegen.

Auf Schotterpisten zum Goldenen Kreis
Antti Tuuri

Am Samstag will Njörður mir die Orte zeigen, die jeder Ausländer, der Island besucht, gesehen haben muss: Þingvallavatn, die Geysire und den Wasserfall Gullfoss. Wir fahren mit Njörðurs Lada los. Njörður und Bera sitzen vorne, ich mit den Mädchen hinten. Die Mädchen singen einen selbst gefertigten Text:

You still eat me
you still beat me
when I'm sixty-four.

Sie selbst sind zehn Jahre alt, und bis vierundsechzig dauert es auch bei uns anderen noch eine Weile.

Die Asphaltstraße endet vor dem Haus von Halldór Laxness; von da geht es weiter auf einem Weg, der mit Lavasand und Schotter belegt ist. Im Belag sind große Lavabrocken, die schwer gegen die Stoßdämpfer des Lada schlagen. Njörður erzählt, wie Laxness als Gast auf einer Friedenskonferenz war, auf der man mehrere Tage hintereinander lange Reden gegen den Krieg hielt. Am letzten Konferenztag bat der Vorsitzende der Versammlung Laxness als Nobelpreisträger und Gewissen der isländischen Nation, etwas zum Thema der Konferenz zu sagen, etwas über den Frieden, seine Meinung über den Krieg und das Töten von Menschen. Laxness hatte sich erhoben und erklärt: »Ich war immer schon der Meinung, niemand sollte mehr Menschen töten, als er selbst verspeisen kann.«

Die Mädchen singen immer noch: »You still eat me, you still beat me ...«

Kopfgroße Lavastücke stellen Federung und Stoßdämpfer des Lada auf eine harte Probe; die Sonne scheint hell auf die schneebedeckte Esja und die Gipfel der langen Bergkette, die sich ins Landesinnere hineinzieht, aber als wir am Þingvallavatn aus dem Wagen steigen, ist es sehr kalt und windig.

Hier in Þingvellir hielten die Isländer zur Zeit des Freistaates seit Beginn des 10. Jahrhunderts ihre Volksversammlungen ab. Þingvellir bedeutet wörtlich übersetzt Versammlungsfeld. Der Ort ist vulkanischen Ursprungs, der Boden hat sich irgendwann einmal gespalten und sich zu einer hohen Wand aufgerichtet, die den Abschluss der Ebene bildet. Am Rande der Ebene fließt die Öxará, die ins Þingvallavatn mündet. Das Þingvallavatn ist der größte See Islands.

Der Abhang am Rande der Ebene erhielt während der Volksversammlungen den Namen *lögberg,* Gesetzesberg. Dort wurden die Versammlungsbeschlüsse verkündet und die wichtigsten Thingreden an die in der Ebene versammelten Isländer gehalten. In der Ebene trat auch die *lögretta* zusammen, deren Aufgabe es war, die Gesetze zu erlassen. Die Volksversammlungen wurden hier stets gegen Mittsommer abgehalten. Sie dauerten zwei Wochen, jedenfalls bis ins 13. Jahrhundert hinein, danach wurde die Versammlungsdauer kürzer. Hier in Þingvellir fanden die Volksversammlungen bis zum Jahre 1798 statt; danach verlegte man sie nach Reykjavík, wo man sie im Jahre 1800 ganz abschaffte.

Abgestimmt wurde auf dem Althing, indem man die Waffen hochreckte oder die Waffen gegen die Schilde schlug; laut einigen Schriftdenkmälern wurde das Waffentragen auf dem Althing allerdings im Jahre 1154 verboten. Jedoch glaubt man, dass das Verbot nur für die Verhandlung von Streitsachen gegolten habe, denn nach einer Urteilsverkündung war es für die Isländer besser, ihre Waffen gleich zur Hand zu haben; die Sagas berichten dagegen, das Verbot sei oft gebrochen worden. Das Problem des Freistaates bestand darin, dass man auf den Volksversammlungen zwar Urteile verkünden und Strafen festsetzen konnte, im Lande aber eine ausführende Gewalt fehlte. Ein Urteil wurde nur vollstreckt, wenn sich der Verurteilte freiwillig der Bestrafung unterwarf, Tötungsgeld für die von ihm getöteten Sklaven bezahlte oder Mannesgeld für die freien Männer, die er getötet hatte, oder er sich bereitfand, in die Verbannung zu gehen, wenn das Urteil auf Verbannung lautete. Wenn der Verurteilte sich nicht freiwillig fügte, stand keine Polizei bereit, und der Sieger bei einem solchen Althing-Prozess musste oft selbst die Durchführung der festgesetzten Strafe in die Hand nehmen.

Wir gehen in einer durch ein Erdbeben aufgerissenen Spalte und steigen auf den *lögberg,* von wo wir auf die Ebene hinabblicken; auf der anderen Seite der Öxará steht eine kleine Kirche, jenseits des Þingvallavatn steigen im Bereich eines durch Erdwärme betriebenen Kraftwerkes die Dämpfe der heißen Quellen auf, und auf der Ebene zieht langsam eine große Pferdeherde vorbei.

Als wir weitergehen, fließt neben dem Pfad die Öxará, die sich hier tief gegen den Abhang eingegraben hat. An dieser tiefen Stelle wurden in heidnischer Zeit die Frauen ertränkt, die ihren Männern untreu geworden waren.

In den Sagas wird nicht berichtet, ob man von dieser Sitte Abstand nahm, nachdem die Isländer auf ihrem Althing im Jahre 999 oder 1000 beschlossen hatten, das Christentum anzunehmen. Damals stand die Volksversammlung vor der

Entscheidung, ob man sich zum Christentum bekehren sollte. Die christlichen Isländer, die zum Althing erschienen waren, wie auch jene, die dem alten Glauben anhingen, vereinbarten, dass der aus Nordisland stammende Gode Þorgeir Þorkelsson einen Schiedsspruch über die Annahme des Christentums fällen sollte und dass alle sich seiner Entscheidung zu fügen hätten; man würde nicht zu den Waffen greifen, und Island sollte auch nicht in einen christlichen und einen heidnischen Teil geteilt werden.

Þorgeir dachte einen Tag und eine Nacht darüber nach, welche Lösung er vorschlagen sollte, dann hielt er eine Rede an das versammelte Volk.

Nach dem Íslendingabók lag ihm daran, den Frieden zwischen beiden Parteien zu wahren, und deshalb war er der Meinung, es wäre gut, wenn jede der beiden Seiten einen Teil ihrer Forderungen durchsetzte. Die Volksversammlung beschloss, das Gesetz, das Þorgeir vorschlagen würde, anzunehmen. In dem Gesetz wurde zunächst bestimmt, dass alle Isländer den christlichen Glauben anzunehmen hätten und die, die noch nicht getauft waren, sofort getauft werden müssten. An den alten Gebräuchen sollte man jedoch weiter festhalten können; somit durfte man neugeborene Kinder aussetzen, und es war auch erlaubt, Pferdefleisch zu essen. Auch durfte man nach wie vor die alten Götter verehren, sofern man es heimlich tat. Für die Verehrung der alten Götter konnte man nur dann verurteilt werden, wenn sich dafür ein Zeuge fand.

Das von Þorgeir vorgeschlagene Gesetz wurde angenommen, und die Priester wollten sich sofort daran machen, diejenigen Isländer, welche noch keine Taufe empfangen hatten, in der Öxará zu taufen. Den ungetauften Isländern war das Wasser des Flusses jedoch zu kalt. Sie forderten, Priester und Täuflinge sollten zu den heißen Quellen gehen. Dort wurden die isländischen Heiden schließlich getauft, aber noch lange hielt sich die Verehrung der alten Götter, wie Óðinn, Þórr, Njörður, Freyr und Freyja, unter den Isländern.

Lange Zeit – viele meinen, bis heute – hielt sich auch der Glaube an Naturgeister, an das unterirdische Volk, das schon vor der Ankunft der Landnahmegeneration aus Norwegen auf der Insel gelebt habe und das immer noch unter den Menschen hier leben soll und das den Menschen bald helfe, bald Schaden zufüge.

Wir fahren weiter zu den Geysiren. Die Straße ist schlecht, von einigen entgegenkommenden Autos prasselt ein Regen aus kleinen Steinen gegen die Windschutzscheibe; viele Autos haben Schutzgitter vor den Scheinwerfern. Njörður flucht über die entgegenkommenden Wagen, die mit gefährlich hoher Geschwindigkeit fahren und die Windschutzscheiben seines Fahrzeugs beschädigen könnten; so ein Schaden werde einem nicht ersetzt. Ich erläutere Njörður einige einfache physikalische Fakten: ein entgegenkommendes Auto wirft die Steine von seinen Rädern immer nach hinten, nie nach vorne, und in diesen vom entgegenkommenden Fahrzeug nach hinten geworfenen Steinregen fährt Njörður selbst die Windschutzscheibe seines Lada, und es hängt von Njörðurs eigener Geschwindigkeit ab, ob das Glas beschädigt wird. Njörður glaubt mir nicht. Er behauptet, sein Wagenfenster werde mit umso größerer Wahrscheinlichkeit beschädigt, je größer die Geschwindigkeit des entgegenkommenden Fahrzeugs sei. Ich behaupte, dass zwar vielleicht umso mehr Steine in der Luft sind, je schneller das entgegenkommende Auto fährt, dass aber Njörðurs Windschutzscheibe mit umso größerer Wahrscheinlichkeit beschädigt wird, je größer die Geschwindigkeit seines eigenen Wagens ist. Njörður versucht, mir zu widersprechen, aber in seine Stimme mischt sich schon eine kleine Unsicherheit; er hat an der Isländischen Universität einen Abschluss in isländischer Literatur gemacht und weiß, dass ich an der Technischen Hochschule in Helsinki studiert habe.

Bera meint, Njörður fahre oft viel zu schnell. Auf dem Hintersitz singen die Mädchen:

Vem kan segla för utan vind
vem kan ro utan årar
vem kan lämna vännen sin
utan att fälla tårar

Wir fahren auf einem Lavaweg durch Lavafelder. Im Osten, hinter dem Lavafeld, einem weiten Tal und kleineren Fjällgipfeln sieht man die Spitze der Hekla. Die Hekla ist während der überlieferten Geschichte viele Male zu mächtigen Ausbrüchen gekommen, und die glühende Lava ist in diese Täler geströmt.

Weil die von grauer Flechte überzogene Lava hier zu manch sonderbaren Formen erstarrt ist, zu Häusern, Städten, Kirchen oder Plätzen, kommen wir auf Erd- und Naturgeister zu sprechen.

Bera erzählt von einer Landstraße, die vor einigen Jahren durch ein Dorf der Erdgeister in Südisland gebaut werden sollte. Die Ortsansässigen hatten die Bauarbeiter davor gewarnt, dass das unterirdische Volk es nicht dulden werde, dass man über ihr Dorf hinweg eine Straße anlegen würde, aber die Männer vom Bauunternehmen hatten über solches Geschwätz nur gelacht und waren mit ihren Planierraupen, Schubtraktoren, Schaufelbaggern und Wagen bei der Wohnstätte der Erdgeister erschienen. Das unterirdische Volk hatte die Bauarbeiten sofort zum Erliegen gebracht, sowie die Arbeiten bis zu ihrem Dorf vorgerückt waren. Die Planierraupen liefen plötzlich nicht mehr, die Schaufelbagger standen still, das Gebrumm der Schubtraktoren war verstummt. Die

Männer vom Bau wussten sich keinen Rat, wie sie mit dem unterirdischen Volk Verbindung aufnehmen könnten; auch die Ortsansässigen bekamen keinen Kontakt mehr zu ihnen, obwohl sie herkömmlicherweise wussten, wo die Wohnstätte der Erdgeister war.

Man begann, nach einem Menschen zu suchen, der mit dem unterirdischen Volk sprechen könnte. Ein solcher Mann fand sich in einem kleinen Dorf in Nordisland, und der Vorstandsvorsitzende des Bauunternehmens hatte den alten Mann in seinem großen schwarzen amerikanischen Wagen zur Baustelle gebracht. Der Mann hatte lange mit dem unterirdischen Volk geredet und dann berichtet, die Erdgeister hätten wohl Verständnis dafür, dass die Straße über ihr Dorf hinweg führen musste. Sie hätten sich allerdings zwei Wochen Zeit ausbedungen, um mit Sack und Pack in ein neues Dorf umziehen zu können. Als die zwei Wochen verstrichen waren, kamen die Maschinen der Baufirma wieder in Gang, und der Straßenbau konnte weitergehen.

Bera erzählt dies alles sehr schnell, wobei sie manchmal zu mir hinblickt, was für ein Gesicht ich wohl mache. Njörður ergänzt, er habe gelesen, die Unterirdischen könnten auch bösartig sein, Orte verwüsten und die Menschen um ihr Brot bringen. Ich sage, es sei ein großer Unterschied, ob die Naturgeister im Wasser, auf dem Festland, in der Luft oder an Orten mit Vulkanismus wohnten. Die Mädchen hören zu, sie singen jetzt nicht mehr.

Wir fahren durch die Ebene auf Haukadalur zu, wo die Geysire sind. Das Wetter ist klar und heiter. Der kleine Geysir, der so sicher tätig ist wie eine Schweizer Uhr, schleudert Dampf und Wasser zehn Meter hoch; im langen Haukadalur sieht man die Wassersäule und die Dampfwolke, die sich daraus erhebt, noch in kilometerweiter Entfernung.

Wir kommen beim Geysir an; ein paar Autos sind vor dem

Geysir-Gebiet an einer Steinmauer geparkt. Wir steigen aus, auf der anderen Straßenseite befindet sich eine Art Gasthaus, in dessen Hof es ein Schwimmbecken gibt, das vom warmen Wasser des Geysirs gespeist wird.

Durch ein Tor betreten wir das umzäunte Gebiet. Ich frage, wo man den Eintritt bezahlt. Das finden alle zum Lachen, sich die Geysire anzusehen, kostet nichts. Den Zaun um sie herum hat man deshalb angebracht, damit die Schafe nicht in die heißen Quellen fallen.

Man weiß, dass der Große Geysir bis zum Jahre 1810 regelmäßig alle drei Stunden tätig war. Danach verlangsamte sich seine Aktivität allmählich, sodass er nur noch alle dreißig Stunden einmal Wasser emporschleuderte. Im Jahre 1916 stellte der Große Geysir seine Aktivität ganz ein. Ich erfahre, dass man auch damals schon den Großen Geysir in Betrieb setzen konnte, indem man irgendwelches Gerümpel in ihn hineinwarf. Dadurch geriet die heiße Quelle in Rage und brach unter zornigem Gebrüll los. Auch wenn ein Tier, ein Schaf oder ein Pferd oder eine Kuh, in die Quelle gefallen war, hatte der Geysir es gar gekocht mit wütendem Getöse hoch wieder ausgespien.

Im Sommer 1935 erwachte der Große Geysir wieder zum Leben, und seitdem ist er in unregelmäßigen Abständen aktiv. Njörður bedauert, den Großen Geysir nie tätig gesehen zu haben, und auch jetzt rührt er sich nicht.

Einige Jahre später besichtigte ich mit meiner Frau die Geysire, und wir erlebten, wie der Große Geysir losbricht. Seine Wassermassen erhoben sich siebzig bis achtzig Meter hoch und stürzten dann langsam im leichten Wind herab. Damals wurde er nicht künstlich geweckt, indem man eine zähe Seifenlösung in ihn hineinpumpte: mit Seifenlösung kann man den Druck in Geysiren im gewünschten Augenblick verstärken. Kameraleute, die gerade eine touristische Dokumentation über Island drehten, wollten den Wasserstrahl filmen. Der Große Geysir ist aber durchaus auch von selbst tätig, wenn auch unregelmäßig. Es heißt, das passiere nur noch selten, aber wenn eine Touristengruppe von ausreichender Begeisterungsfähigkeit auf einen Ausbruch wartet, dann mag er sich dazu bequemen, seine einstige Pracht vorzuführen. Der Große Geysir hat den heißen Springquellen überall auf der Welt seinen Namen gegeben. Der Ursprung des Wortes liegt aber im isländischen Verb *geysa,* hervorgestürzt kommen.

Die Erde ist hier so heiß, dass man die Hitze durch die Schuhsohlen hindurch spürt. Der Kleine Geysir, Strokkur genannt, ist stets im Abstand von einigen Minuten tätig: er bricht los und sammelt sein Wasser anschließend wieder in einer im Fels befindlichen Öffnung. Ist die Quelle voll, bleibt sie eine gewisse Zeit völlig ruhig. Dann beginnt sie zu stöhnen, so, als ob jemand unter der Erde tief Atem holen würde, und tatsächlich höre ich ein tiefes Atemholen, oder vielleicht bilde ich mir nur ein, es zu hören.

Plötzlich wallt das Wasser der Quelle auf, seine Oberfläche hebt sich und formt eine Art Halbkugel: Im gleichen Moment ist diese Halbkugel voller Dampfblasen, die das Wasser des Geysirs weiß färben, und dann spritzen weißes Wasser und Dampf unter Getöse in die Höhe. Lange sehe ich mir die Tätigkeit des Geysirs an und erinnere mich an das, was ich in der Abhandlung gelesen habe, die einen Überblick über die unterirdischen Teile des Geysirs und seine Funktionsprinzipien bietet. Der Ausbruch erfolgt jedes Mal auf die gleiche Weise, nur Windstärke und -richtung verändern die Sturzrichtung der hochgeschleuderten Wassersäule.

Ich warte am Großen Geysir, aber da tut sich nichts. Zwischen den Geysiren befindet sich eine heiße Quelle, durch deren turmalinblaues Wasser die Seitenwände der Quelle bis in die Tiefe hindurchscheinen. Ich stehe am Rand der Quelle und sehe, wie sie sich erweitert und ihre Wände irgendwie unter den Füßen schwanken; ich stelle mir vor, in diese heiße, blaue Quelle zu stürzen, die sich Hunderte von Metern ins Erdinnere hinein erstreckt.

Wir gehen zurück zum Tor; da sitzt ein sehr alter Mann. Njörður kennt ihn, Sigurður Greipsson heißt er, und Njörður stellt mich vor und übersetzt, was er auf Isländisch sagt. Der alte Mann erzählt, er sei von Beruf Geysirwärter, sein ganzes Leben lang habe er das Leben der Geysire hier im Haukadalur beobachtet. Nachdem er auf diese Weise achtzig Jahre verbracht habe, sei er zu dem Schluss gekommen, dass das Leben der Geysire ganz ähnlich wie das Leben der Menschen ablaufe. Die Geysire würden älter als die Menschen, doch genauso wie bei den Menschen folge auch bei ihnen der Jugend die Zeit des Erwachsenseins und des Alters; die Geysire empfanden auch Freude und Trauer, sie könnten für lange Zeit kränkeln, aber wenn sie gesund geworden, seien sie wieder froh und munter. Auch er freue sich, Njörður nach so langer Zeit wiederzusehen, und mir wünscht er Glück für mein Leben in meinem fernen Land.

Wir fahren noch zum Gullfoss, dem berühmtesten Wasserfall Islands, der am Oberlauf der Hvítá gelegen ist. Bera sammelt Wasserfälle, sie will alle isländischen Wasserfälle sehen. Den Gullfoss hat sie natürlich schon als Kind gesehen, wir gehen dennoch ganz nahe an ihn heran und sehen zu, wie das braune Gletscherwasser in einem mächtigen Strom Dutzende von Metern in die Tiefe stürzt. Dünner Nebel steigt aus der Gischt die schroffen Flusswände hinauf wie ein Wolkenschleier, der vom Wind getrieben wird: die Farben der Sonnenstrahlen in dem dünnen Wasserschleier sind die Farben des Regenbogens. Später einmal, auf anderen Reisen in anderen Jahren, sehen wir hier, als wir aus dem Haukadalur kommen, einen richtigen Regenbogen, dessen beide Enden in dem kleinen

Tal liegen, durch das der Weg verläuft. Das Halbrund des Regenbogens erstreckt sich nicht über die das Tal umgebenden Fjällberge, er ist wie eine ins Tal gesetzte farbige Sehne, welche die Berge auf Distanz hält.

Es heißt, dass zu Beginn des Jahrhunderts ein großes ausländisches Unternehmen vorhatte, den Gullfoss einzudämmen und dort ein großes Kraftwerk zu errichten. Darauf hatte eine Frau namens Sígriður, die von dem nahe gelegenen Gehöft Brattholt stammte, erklärt, sie werde sich in den Gullfoss stürzen und ihr Leben für den Wasserfall opfern, sobald mit dem Bau begonnen würde. Man ist sich nicht sicher, ob es wirklich Sigriðurs Drohung war, die bewirkte, dass sich das Kraftwerkunternehmen zurückzog, oder ob der Rückzug einen anderen Grund hatte. Jedenfalls wurde der Wasserfall nicht eingedämmt, und er steht jetzt als wichtiges Nationaleigentum Islands unter Naturschutz.

Aufbruch zum Mittelpunkt der Erde
Jules Verne

Es hätte eigentlich dunkel werden müssen. Aber am fünfundsechzigsten Breitengrad durfte man sich nicht darüber wundern, dass die Polarnächte hell waren. In den Monaten Juni und Juli ging in Island die Sonne nicht unter.

Trotzdem war es kühler geworden. Mir war kalt, und vor allem hatte ich Hunger. Daher war ich besonders erfreut, als wir in ein Bauernhaus aufgenommen wurden.

Es waren einfache Leute, die hier wohnten, aber ihre Gastfreundschaft war königlich. Der Bauer trat auf uns zu, schüttelte uns die Hand und machte uns ohne weitere Umschweife ein Zeichen, ihm nachzukommen.

Es war buchstäblich nötig, ihm nachzugehen, denn nebeneinander hätte man in dem langen, dunklen und engen Gang unmöglich gehen können. Vom Flur aus hatte man Zugang zu allen vier Räumen des Holzhauses mit seinen nur roh behauenen Balken. Es waren dies: die Küche, die Webstube, das Schlafzimmer der Familie und das beste von allen, das Gästezimmer. An Leute von der Größe meines Onkels hatte man beim Bau des Hauses nicht gedacht; drei- oder viermal stieß er sich deshalb den Kopf an einem der Deckenbalken an.

Man führte uns in unser Zimmer, einen sehr großen Raum mit einem Boden aus gestampftem Lehm. In das einzige Fenster waren Schaffelle gespannt, die nur wenig Licht durchließen. Das Bettzeug bestand aus trockenem Stroh, das in den rot gestrichenen Bettgestellen aufgeschüttet war, die mit isländischen Sprüchen bemalt waren. Auf so viel Komfort war ich gar nicht gefasst. Bloß war das ganze Haus von einem Geruch erfüllt, der von getrocknetem Fisch, eingelegtem Fleisch und saurer Milch kam und mir ziemlich zu schaffen machte.

Nachdem wir unsere Reiseausrüstung untergebracht hatten, hörten wir den Gastgeber rufen, der uns in die Küche einlud. Auch bei der größten Kälte war das der einzige Raum, der beheizt wurde.

Mein Onkel beeilte sich, der freundlichen Einladung nachzukommen. Ich folgte ihm.

Die Feuerstelle mitten in der Küche war recht altertümlich: ein Stein für das Feuer, ein Loch im Dach als Abzug für den Rauch. Hier wurde auch gegessen.

Als seien wir eben erst angekommen, begrüßte uns der Gastgeber noch einmal mit dem Wort *sællvertu*, das heißt: herzlich willkommen, und küsste uns auf die Wange.

Seine Frau tat es ihm nach. Dann legten sie beide die rechte Hand aufs Herz und verneigten sich tief.

Ich möchte gleich hinzufügen, dass die Isländerin Mutter von neunzehn Kindern war, die sich alle in der Küche drängten. Aus den Rauchschwaden, die den Raum erfüllten, sah ich immer wieder einen kleinen oder großen Blondschopf auftauchen, und fragende Blicke richteten sich auf mich. Man hätte meinen können, eine Schar ungewaschener Engelchen tanze durch die Küche.

Mein Onkel und ich beschäftigten uns mit den Kindern. Bald saßen sie zu dritt oder viert auf unseren Schultern, ebenso viele auf unseren Knien und der Rest zwischen unseren Beinen. Diejenigen von ihnen, die schon reden konnten, wiederholten immer wieder *sællvertu* in allen möglichen Tonlagen. Die noch nicht reden konnten, schrien dafür umso lauter.

Dieses vielstimmige Konzert wurde durch die Ankündigung des Essens beendet. In diesem Augenblick trat unser Führer ein, der die Pferde versorgt hatte. Das heißt, er hatte sie einfach frei laufen lassen, und die armen Tiere mussten sich begnügen, ein bisschen Moos von den Felsen zu nagen und am Ufer ein wenig Seetang zu suchen, der nicht besonders nahrhaft war. Am nächsten Tag würden sie von selbst wieder die Arbeit vom Vortag aufnehmen.

»Sællvertu«, sagte Hans.

Dann umarmte er mit seinen langsamen und völlig gleichmäßigen Bewegungen nacheinander den Gastgeber, die Gastgeberin und ihre neunzehn Sprösslinge.

Nach dieser Zeremonie setzten sich alle vierundzwanzig zu Tisch, mehr auf als nebeneinander, sodass, wer Glück hatte, nur zwei Gören auf den Knien sitzen hatte.

Die Kinder beruhigten sich langsam, als die Suppe kam, und wie alle Isländer wurden auch sie mit der Zeit recht schweigsam. Der Bauer schöpfte die Suppe aus isländischem Moos, die ganz gut schmeckte; danach gab es riesige Portionen Trockenfisch in zwanzig Jahre alter, ranziger Butter, die der isländische Gaumen jeder frischen Butter vorzieht. Dazu gab es *skyr,* eine Art Dickmilch, und Kekse mit Wacholdersaft. Zum Trinken wurde mit Wasser verdünnte Molke gereicht, die die Isländer *blanda* nennen.

Ob dieses eigenartige Essen gesund war oder nicht, kann ich nicht entscheiden. Ich jedenfalls aß mit Appetit und verschlang zum Nachtisch noch einen ganzen Teller voll dicker Buchweizengrütze.

Nach der Mahlzeit gingen zuerst die Kinder schlafen. Die Erwachsenen versammelten sich um das Feuer, in dem Torf, Kuhmist und die Gräten der getrockneten Fische brannten. Nach diesem »Wärmetanken« verteilten wir uns alle auf unsere Schlafzimmer. Unsere Gastgeberin bot uns nach altem

Brauch an, uns die Strümpfe und die Hosen auszuziehen. Als wir ganz freundlich ablehnten, bestand sie nicht weiter darauf, und ich konnte mich endlich in meine Einstreu kuscheln. Am nächsten Morgen um fünf verabschiedeten wir uns von dem isländischen Bauern. Mein Onkel musste seine ganze Überredungskunst aufbieten, um ihn zu bewegen, eine angemessene Vergütung anzunehmen. Hans gab das Signal zum Aufbruch.

Hundert Meter hinter Gardær änderte sich die Landschaft. Der Boden wurde sumpfig und schwer begehbar. Zu unserer Rechten zogen sich weiterhin die Bergketten entlang wie eine Reihe natürlicher Festungen. Und wir marschierten sozusagen im Festungsgraben. Oft mussten wir Bachläufe überqueren; dazu suchten wir eine Furt, damit das Gepäck nicht nass wurde.

Die Gegend wurde immer einsamer. Doch manchmal sah man in der Ferne eine menschliche Gestalt fliehen. Als wir hinter einer Wegbiegung überraschend auf eines dieser gespenstischen Wesen trafen, konnte ich einen plötzlichen Ekel nicht unterdrücken: Der aufgedunsene Schädel war kahl, die Haut glänzte, durch die zerlöcherten Kleider waren die schrecklichen eitrigen Wunden zu sehen.

Die armseligen Menschen boten uns nicht die verstümmelte Hand zum Gruß, sondern flohen vor uns so schnell, dass Hans nicht dazu kam, sein übliches *sællvertu* zu rufen.

»Spetelsk«, sagte er stattdessen.

»Ein Aussätziger«, übersetzte mein Onkel.

Schon dieses Wort wirkte abstoßend. Die furchtbare Leprakrankheit war in Island ziemlich weit verbreitet. Sie war nicht ansteckend, aber erblich, und daher war es den unglücklichen Menschen auch verboten, zu heiraten.

Das Auftauchen dieser Menschen war nicht dazu angetan, die immer trostloser werdende Landschaft aufzuheitern. Bald waren keine Grasbüschel und keine Bäume mehr zu sehen, außer ein paar zwergwüchsigen Birken, die eher Sträuchern glichen. Wir trafen auch auf keine Tiere mehr, mit Ausnahme von herrenlosen Pferden, die ihre Besitzer ausgesetzt hatten, weil sie nicht genügend Futter für sie hatten. Hin und wieder schwebte ein Falke aus den grauen Wolken herab und ließ sich dann pfeilschnell nach Süden hin abtreiben. Ich überließ mich der wehmütigen Stimmung dieser wilden Landschaft, und meine Gedanken schweiften oft in die Heimat.

Mehrere kleine Fjorde durchquerten wir problemlos, dann kam eine größere Bucht, durch die wir bei Ebbe auch gut hindurchkamen. Auf dem gegenüberliegenden, einen Kilometer entfernten Ufer passierten wir den Weiler Alftanes.

Die beiden Flüsse Alfa und Heta mussten durchwatet werden, ehe wir die Nacht in einer verlassenen Hütte verbringen konnten, die sich gut als Heimstatt aller Kobolde der nordischen Sagen und Legenden geeignet hätte. Ganz sicher hauste darin der Dämon der schneidenden Kälte, der die ganze Nacht über sein Regiment ausübte.

Der nächste Tag brachte keine besonderen Vorkommnisse mit sich. Die Landschaft blieb sumpfig, eintönig und trostlos. Am Abend hatten wir die Hälfte der Strecke hinter uns gebracht. Wir konnten in einer Nebenkirche der Pfarrei von Krøsolbt übernachten.

Am 19. Juni ging es über einen Kilometer weit über Lavaboden, den die Isländer *hraun* nennen. Die erkaltete und verwitterte Lava zeigte Formen von lang gestreckten und eingerollten Seilen. Riesige Lavaströme waren von den umliegenden Bergketten erloschener Vulkane herabgeflossen und zeugten von der Urgewalt der Ausbrüche, die hier stattgefunden hatten. Immer wieder traten Dämpfe aus heißen Quellen durch die Ritzen an der Oberfläche aus.

Wir hatten nicht genügend Zeit, die Phänomene zu studieren, wir mussten weiter auf unserem Weg. Bald hatten die

Pferde wieder sumpfigen Boden unter den Hufen, und wir kamen an kleinen Seen vorbei. Jetzt ging es nach Westen, denn wir hatten die Bucht von Faxa schon zum größten Teil umgangen, und die beiden weißen Gipfel des Snæffels lagen, noch vierzig Kilometer entfernt, vor uns in den Wolken.

Die Pferde kamen gut mit dem Boden zurecht, und es ging flott voran. Ich ermüdete jedoch sehr, während sich mein Onkel fest und gerade im Sattel hielt wie am ersten Tag. Ich konnte ihn ebenso wie unseren Führer nur bewundern; für den Jäger schien das Ganze nur ein einfacher Spaziergang zu sein.

Am Samstag, dem 20. Juni, erreichten wir um sechs Uhr abends Büdir, ein Dörfchen an der Küste. Hier, in seinem Heimatort, endete der Auftrag unseres Führers, der sich nun den Lohn auszahlen ließ. Seine Verwandten nahmen uns mit großer Gastfreundschaft auf. Ohne diese ausnützen zu wollen, hätte ich mich gern bei ihnen von den Strapazen der bisherigen Reise erholt. Aber mein Onkel hatte keine Erholung nötig und auch kein Verständnis für einen solchen Wunsch. So wurden am nächsten Morgen die guten Ponys erneut gesattelt.

Die Beschaffenheit des Bodens zeigte die Nähe des Bergmassivs an, dessen Ausläufer aus Granit hier an die Oberfläche traten, als seien es die Wurzeln einer alten Eiche. Wir zogen am Fuß des gewaltigen Vulkan- und Gletschermassivs entlang. Der Professor behielt ihn ständig im Auge, redete gestikulierend mit sich selbst, als wolle er den Koloss herausfordern und ihm zurufen: »Das ist der Riese, den ich bezwingen werde!« Nach einem vierstündigen Marsch hielten die Pferde ganz von selbst vor der Tür des Pfarrhauses von Stapi.

Die Sonnenstrahlen, die vom Gletscher zurückgeworfen wurden, fielen auf Stapi herab, das Dörfchen mitten im Lavagebiet, das aus etwa dreißig Hütten bestand und am Ende eines kleinen Fjords lag, der von einer eigenartigen Basaltmauer begrenzt wurde.

Basalt ist ein Gestein vulkanischen Ursprungs, das erstaunlich gleichmäßige Formen bildet. In Basalt schafft die Natur geometrisch exakte Figuren, wie der Mensch sie mit Winkel, Zirkel und Senkblei errichtet. Überall sonst häuft die Natur unförmige Massen von Erde und Gestein auf, die nur entfernt einem Kegel oder einer Pyramide ähneln und immer wieder aufs Neue durch die Aufeinanderfolge von bizarren Linien überraschen. Im Fjord von Stapi wollte sie aber ein Musterbeispiel von Geradlinigkeit liefern und hat lange vor den Baumeistern der Antike strenge Formen geschaffen, die weder durch die glanzvollen Bauten von Babylon noch durch die wundervolle Architektur der Griechen übertroffen worden sind.

Ich hatte natürlich schon von den Basaltsäulen des Giant's Causeway in Nordirland und der Fingalshöhle auf den Inneren Hebriden vor Westschottland gehört. Aber noch nie hatte ich eines der Naturwunder aus Basalt mit eigenen Augen erblickt. Im Fjord von Stapi bot sich mir dieses Schauspiel in seiner ganzen Schönheit.

Die Steilküste des Fjords und der ganzen Halbinsel bestand aus etwa zehn Meter hohen Basaltsäulen. Diese senkrechten wohlproportionierten Pfeiler trugen einen Überbau aus waagrechten Säulen, der ein gutes Stück übers Wasser hinausragte. In bestimmten Abständen gewahrte man unter diesem natürlichen Dach spitzbogenförmige Öffnungen, durch welche die Flutwellen vom Meer schäumend hindurchschossen. Einige Basaltstücke waren vom wütenden Ozean abgerissen worden und auf den Grund des Fjords abgesunken, wo sie wie Trümmer eines antiken Tempels lagen, für immer jung und unempfindlich für die Zerstörungskraft der Zeit.

Das war unser letztes oberirdisches Ziel. Hans hatte uns

sicher hierhergeführt. Und es beruhigte mich ein wenig, zu wissen, dass er uns weiterhin begleiten würde.

Als wir vor der Tür des Pfarrhauses von Stapi angekommen waren, einer Hütte, die sich in nichts von den einfachen niederen Hütten der Nachbarn unterschied, sah ich einen Mann, der einen Lederschurz umgebunden hatte und einen Hammer in der Hand hielt, ein Pferd beschlagen.

»Sællvertu«, grüßte ihn Hans.

»God dag«, antwortete der Schmied auf Dänisch.

»Kyrkoherde«, sagte Hans zu meinem Onkel gewandt.

»Der Pfarrer!«, rief Professor Lidenbrock. »Wie es scheint, Axel, ist dieser Schmied der Pfarrer!«

Hans hatte begonnen, dem Pfarrer zu erklären, wer wir seien und was wir wollten. Daraufhin unterbrach dieser seine Arbeit und stieß einen Ruf aus, der wohl zwischen Pferdehändlern und Pferden üblich war, aber jetzt einen Hausdrachen von hünenhaftem Wuchs aus der Hütte lockte.

Ich fürchtete schon, sie würde uns den isländischen Kuss zum Gruß anbieten. Aber sie tat nichts dergleichen, kaum dass sie sich dazu bequemte, uns ins Haus zu bitten.

Das Zimmer für die Gäste schien mir das schlechteste im ganzen Haus zu sein, so winzig, schmutzig und übel riechend war es. Doch wir mussten uns damit begnügen. Auch hatte der Pfarrer nicht die traditionelle Gastfreundschaft erfunden. Noch vor dem Abend erlebten wir ihn nicht nur als Schmied, sondern außerdem als Fischer, Jäger und Zimmermann. Nur nicht als Pfarrer. Allerdings war Werktag, und vielleicht war er nur sonntags der Diener des Herrn.

Ich will aber nicht schlecht über die armen Pfarrer auf Island reden, die von der dänischen Regierung nur ein lächerlich geringes Gehalt bezogen und dazu ein Viertel des Zehnten ihrer Gemeindemitglieder. Das machte zusammen nicht mehr als sechzig Mark aus. Deswegen mussten sie noch andere Brotberufe ausüben, um leben zu können. Aber wer als Fischer, Jäger oder Schmied arbeitete, gewöhnte sich schnell deren rauen Umgangston und das Verhalten dieser Leute an. Und am Abend bemerkte ich, dass die Nüchternheit nicht zu den besonderen Tugenden unseres Gastgebers zählte.

Meinem Onkel war bald klar, mit was für einem Mann er es zu tun hatte. Statt eines engagierten und klugen Gelehrten saß er einem schwerfälligen und grobschlächtigen Bauern gegenüber. Er beschloss daher, so bald als möglich zur großen Expedition aufzubrechen und das wenig gastfreundliche Haus zu verlassen. Obwohl er selbst ein bisschen Ruhe hätte brauchen können, wollte er die nächsten Tage auf dem Bergmassiv verbringen.

Gleich am Tag nach unserer Ankunft in Stapi bereiteten wir unsere Abreise vor. Hans engagierte drei Isländer, die statt der Packpferde unser Gepäck tragen sollten. Sie würden uns nur bis zum Kratergrund begleiten und dann zurückkehren. Das wurde ausdrücklich verabredet.

Bei dieser Gelegenheit teilte mein Onkel dem Jäger mit, dass er die Absicht hatte, den Vulkan so »eingehend« wie möglich zu erforschen.

Hans nickte dazu nur mit dem Kopf. Für ihn machte es keinen Unterschied, ob er das Innere seiner Insel erforschte oder auf ihr umherstreifte. Ich selbst war bisher von den Erlebnissen unterwegs abgelenkt worden und hatte kaum noch daran gedacht, was uns bevorstand. Aber nun merkte ich, wie mich die Aufregung wieder ergriff. Aber was tun? Wenn ich mich dem Vorhaben von Professor Lidenbrock hätte widersetzen wollen, hätte ich das in Hamburg machen müssen und nicht am Fuß des Snæffelsjøkull!

Vor allem quälte mich ein Gedanke, der auch weniger empfindliche Geister als mich sehr beunruhigt hätte. Wir werden also den Snæffels besteigen, sagte ich mir. Nun gut. Dann schauen wir uns seinen Krater an. Auch gut. Das haben schon andere vor uns getan, und es hat sie nicht das Leben gekostet. Aber das ist noch nicht alles. Wenn sich ein Weg unter den Kraterboden findet, wenn dieser unglückselige Saknussemm recht hat, dann werden wir im unterirdischen Schlot des Vulkans verschwinden. Es ist aber überhaupt nicht bewiesen, dass der Snæffels endgültig erloschen ist! Warum sollte sich nicht ein neuer Ausbruch ereignen können? Das Ungeheuer schlief zwar seit 1229, aber folgte daraus, dass es nicht wieder erwachen konnte? Und wenn es erwacht, was wird dann aus uns?

Darüber musste man nachdenken, und ich dachte nach. Und träumte jede Nacht davon, dass der Vulkan ausbrach. Ich wollte aber nicht zu Schlacke werden. Diese Rolle schien mir zu gemein.

Endlich hielt ich es nicht länger aus und beschloss, meinem Onkel die Sache so geschickt wie möglich in Form einer völlig irrealen Hypothese vorzutragen. Ich suchte ihn auf und teilte ihm derart verschlüsselt meine geheimsten Ängste mit. Dann trat ich ein paar Schritte zurück und erwartete erst einmal seinen Wutausbruch.

Aber er sagte nur: »Ich habe daran gedacht.«

Was sollte das heißen? Hörte er endlich auf die Sprache der Vernunft? Dachte er daran, sein Vorhaben aufzugeben? Das wäre zu schön gewesen, um wahr zu sein.

Ich traute mich nicht, ihn danach zu fragen, während er schwieg.

Dann wiederholte er: »Ich habe daran gedacht. Seit unserer Ankunft in Stapi habe ich mich mit der ernsten Frage beschäftigt, die du mir eben vorgetragen hast. Denn wir dürfen nicht unvorsichtig vorgehen.«

»Nein«, sagte ich mit Nachdruck.

»Seit sechshundert Jahren ist der Snæffels stumm, aber er

könnte wieder sprechen. Ausbrüche kündigen sich jedoch immer durch die wohlbekannten Vorzeichen an. Also habe ich die Isländer befragt, ich habe den Boden untersucht, und ich kann dir sagen, Axel, es wird keinen Ausbruch geben.«

Diese Versicherung verblüffte mich derart, dass ich nichts darauf erwidern konnte.

»Zweifelst du daran, was ich sage?«, fragte mein Onkel. »Na, dann komm mit!«

Ich folgte, ohne zu überlegen. Wir verließen das Pfarrhaus, und der Professor ging auf einem Weg, der durch eine Öffnung in der Basaltmauer vom Meer wegführte. Bald waren wir draußen auf dem Land, wenn man die ungeheuren Massen von Vulkangestein so nennen kann. Es war, als wäre diese Gegend unter einem Regen von riesigen Felsbrocken aus Trapp, Basalt und aller Art von Ergussgestein begraben worden.

Hier und da sah ich Qualm aus Gesteinsritzen emporsteigen. Dieser kräftige weiße Dampf, den die Isländer *reykir* nennen, kam von den Thermalquellen und deutete auf die unterirdische Vulkantätigkeit hin. Das schien alle meine Befürchtungen zu bestätigen. Daher war ich völlig verblüfft durch die nachfolgende Erklärung meines Onkels.

»Du siehst, dass es hier überall qualmt und dampft, Axel. Nun, das ist der Beweis dafür, dass wir die Schrecken eines Vulkanausbruchs nicht zu befürchten haben!«

»Wie bitte?«, rief ich.

»Merk dir gut«, erklärte der Professor, »was ich dir jetzt sage: Vor einem Ausbruch kommt aus diesen Ritzen doppelt so viel Dampf wie sonst. Dann hört ihre Aktivität plötzlich auf, denn bei einem Ausbruch ist hier nicht mehr die nötige Kraft vorhanden, um den Dampf aus den Erdspalten zu drücken. Der Druck entlädt sich dann aus den Kratern. Wenn die Intensität der Dämpfe aber gleich bleibt, und wenn dazu Wind und Regen nicht plötzlich ausbleiben, sodass die Luft reglos und drückend wird, dann kann man sicher sagen, dass bestimmt kein Vulkanausbruch unmittelbar bevorsteht.«

»Aber ...«

»Genug davon! Wenn die Wissenschaft die Wahrheit verkündet hat, heißt es schweigen!«

Mit hängenden Ohren kehrte ich ins Pfarrhaus zurück. Mein Onkel hatte mich mit wissenschaftlichen Argumenten besiegt. Eine Hoffnung blieb mir immer noch: Wenn wir auf dem Grund des Kraters angelangt wären, war es durchaus möglich, dass wir trotz allen Saknussemms der Welt keinen Einstiegsstollen in die Tiefe entdeckten.

Meine Albträume der folgenden Nacht versetzten mich mitten in den Vulkan und in die Tiefen der Erde, von wo aus ich als Vulkangestein in planetarische Räume hinausgeschleudert wurde.

Am folgenden Tag, dem 23. Juni, stand Hans frühmorgens mit seinen Gefährten bereit, die die Packen mit den Lebensmitteln, Werkzeugen und Instrumenten geschultert hatten. Zwei eisenbeschlagene Wanderstäbe, zwei Gewehre und zwei Schachteln Munition waren meinem Onkel und mir vorbehalten.

In seiner umsichtigen Art hatte Hans noch einen Wasserschlauch mitgenommen, sodass wir in Schlauch und Feldflaschen genügend Wasser für acht Tage dabeihatten.

Um neun Uhr morgens waren wir abmarschbereit. Der Pfarrer und sein Hausdrachen erwarteten uns vor der Tür. Um uns als Gastgeber mit allen guten Wünschen für die Reise zu verabschieden – nahmen wir an. Aber anstelle dieses Abschieds wurde uns überraschenderweise eine Rechnung präsentiert, die so gepfeffert war, dass wir uns wunderten, dass nicht auch noch die stinkige Luft im Pfarrhaus gesondert berechnet wurde. Das werte Paar nahm für seine »teure« Gastfreundschaft Preise wie ein Schweizer Nobelhotel, aber mein Onkel bezahlte alles, ohne zu feilschen. Ein Mann, der zum Mittelpunkt der Erde aufbrach, schaute nicht auf einen Reichstaler mehr oder weniger.

Als das geregelt war, gab Hans das Zeichen zum Aufbruch, und schon bald lag Stapi hinter uns.

Der Snæffelsjøkull ist fast siebzehnhundert Meter hoch. Sein doppelter Kegel bildet den Abschluss eines Höhenzuges aus hellem Ergussgestein, der sich von den übrigen Gebirgsformationen der Insel abhebt. Von unserem Ausgangspunkt aus konnte man die beiden Gipfel sich nicht gegen den grauen Himmel abzeichnen sehen. Ich erkannte nur eine riesige Schneehaube, die dem Riesen in die Stirn gerutscht war.

Wir gingen im Gänsemarsch. Der Eiderentenjäger Hans marschierte voraus und wählte so schmale Pfade, dass keine zwei Personen nebeneinander gehen konnten. Dadurch war so gut wie keine Unterhaltung möglich.

Hinter der Basaltmauer des Fjords von Stapi kam zuerst ein fasriger Torfboden voller Kräuter, der ein Überbleibsel der früheren Sumpfgebiete war. Die gesamte Menge dieses bisher ungenutzten Brennstoffes würde ausreichen, die ganze Bevölkerung Islands ein Jahrhundert lang mit Heizmaterial zu versorgen. Das riesige Torflager war, vom Grund mancher Schluchten aus gemessen, über zwanzig Meter mächtig und bestand aus mehreren Schichten verkohlter Humusstoffe, die durch dünne Lagen von Bimssteintuff getrennt waren.

Als echter Neffe von Professor Lidenbrock und trotz meiner Ängste verfolgte ich aufmerksam die mineralogischen Sehenswürdigkeiten, die dieses große Freiluftnaturkundemuseum zu bieten hatte. Gleichzeitig repetierte ich im Geist die geologische Geschichte von Island.

Diese eigenartige Insel war offenbar erst in jüngerer erdgeschichtlicher Zeit aus dem Meer aufgetaucht. Vielleicht stieg sie kaum merklich weiter. Falls das so war, konnte man ihre Entstehung nur unterirdischen thermischen Aktivitäten zuschreiben. Dann wären die Theorie von Humphry Davy, das Manuskript von Saknussemm und die Annahmen von meinem Onkel allesamt überholt. Meine Überlegung führte mich dazu, mir den Boden genauer anzusehen, und sehr bald wurde mir klar, welche Phänomene und in welcher Reihenfolge ihn so gebildet hatten, wie er war.

Island fehlt jede Art von Urgestein; es besteht nur aus vulkanischem Tuff, das heißt einer Mischung aus porösem Stein und Fels. Ehe es die Vulkane gab, war die Insel ein Massiv aus Trapp, also einem basaltischen Ergussgestein, das durch unterirdische Druckkräfte nach oben geschoben wurde. Zu diesem Zeitpunkt hatten die Hitzekräfte des Erdinneren noch keine Ausbrüche bewirkt.

Aber später öffnete sich ein breiter Graben, der diagonal durch die Insel von Südwest nach Nordost verlief. Dieser Graben füllte sich nach und nach mit den magmatischen Ergüssen aus dem Erdinneren. Der Vorgang vollzog sich in einem langsamen Prozess. Die gewaltigen Magmaströme aus der Erde bildeten weite Flächen oder türmten sich zu runden Hügeln auf. Damals entstanden Feldspate, Syenite und Porphyre.

Diesen Magmaströmen ist es zu verdanken, dass die Insel beträchtlich an Volumen gewann und dadurch insgesamt stabiler wurde. Nun muss man sich vorstellen, welche Mengen von Magma sich unter der Insel ansammelten, als das trachytische Ergussgestein auf ihrer Oberfläche erkaltet war. Und irgendwann war der Zeitpunkt gekommen, dass der Druck der beteiligten Gase so groß wurde, dass sie die Inselkruste hoben und sich in hohen Schloten einen Weg zur Entladung bahnten. Deshalb entsteht ein Vulkan erst durch das Anheben der Erdkruste als Berg, dann bricht er an seiner Spitze plötzlich durch die Krateröffnung aus.

Den magmatischen Phänomenen folgten also die vulkanischen. Durch die neu entstandenen Krateröffnungen wurden zuerst die basaltischen Stoffe geschleudert, wie wir in der Ebene, die wir gerade durchquerten, an den herrlichsten Funden feststellen konnten. Wir marschierten über das schwere dunkelgraue Felsgestein, das beim Erkalten die Form rechteckiger Prismen angenommen hatte. In der Ferne war eine große Zahl abgeflachter Kegel zu erkennen, die einst auch Feuer speiende Schlünde gehabt hatten.

Nach den basaltischen Auswürfen erloschen einige Vulkane, wodurch sich die Gewalt der Ausbrüche dieses Vulkans verstärkte, der nun flüssige Lava sowie Tuffgesteine aus Asche und Schlacke zum Ausbruch brachte. Wie eine üppige Haarmähne waren diese Ströme an den Berghängen zu erkennen.

In dieser Abfolge der unterschiedlichen Prozesse war Island entstanden. Alles hing mit der enormen Hitzeentwicklung im Erdinneren zusammen, und wer etwas anderes behauptete, als dass sich dieses Erdinnere in einer beständigen Siedehitze befand, hing einem Hirngespinst an. Und vor allem war es ein Hirngespinst, zu glauben, dass man den Mittelpunkt der Erde erreichen könnte!

Ich konnte mir daher denken, wie aussichtslos unser Unternehmen war, und das beruhigte mich, als ich den anderen beim Aufstieg auf den Snæffels folgte.

Der Weg wurde immer schwieriger. Es ging steiler hinauf, Felsstücke brachen ab, und man musste höllisch achtgeben, denn ein Sturz konnte lebensgefährlich werden.

Hans ging ruhig weiter, als marschiere er über ebenes Gelände. Manchmal verschwand er hinter großen Felsbrocken, und wir sahen ihn eine Weile nicht mehr. Dann ertönte ein greller Pfiff, der uns wieder die Richtung wies. Oft blieb er auch stehen, sammelte ein paar Felssplitter auf und schichtete sie so auf, dass man sie auf dem Rückweg gut als Wegweiser erkennen konnte. Das war gut vorausgedacht, aber wegen der späteren Ereignisse war diese Mühe umsonst.

Nach drei Stunden Fußmarsch waren wir erst bis zum Fuß des Berges gekommen. Dort hieß uns Hans Halt machen, und wir teilten uns alle das bescheidene Mittagessen. Mein Onkel stopfte sich von allem doppelt in den Mund, um schneller fertig zu werden. Aber da es sich nicht nur um eine Essens-, sondern auch um eine Ruhepause handelte, musste er trotzdem warten, bis sich unser Führer ausgeruht hatte und nach einer Stunde das Zeichen zum Aufbruch gab. Die anderen drei Isländer waren übrigens ebenso schweigsam wie Hans und hatten beim Essen kein einziges Wort geredet.

Dann machten wir uns an den Aufstieg. Eine Sinnestäuschung, die in den Bergen häufig auftritt, ließ mir die schneebedeckten Gipfel des Snæffels ganz nah erscheinen. Aber es dauerte Stunden, bis wir endlich oben waren. Und der Aufstieg war sehr anstrengend! Da das Steingeröll von keiner Erdkrume und keinem Graswürzelchen gehalten wurde, traten wir es bei jedem Schritt los, und ganze Lawinen davon donnerten den Hang hinunter.

An manchen Stellen stieg der Berg in einem Winkel von sechsunddreißig Grad an. Diese Steilhänge konnten wir nicht erklettern und mussten sie mühsam umgehen. Dabei sicherten wir uns gegenseitig, indem wir uns am Stock des Vordermannes festhielten.

Ich muss sagen, dass mein Onkel sich meist in meiner Nähe aufhielt. Er ließ mich nie aus den Augen, und mehr als einmal stützte er mich helfend mit seinem starken Arm. Er selbst schien von Natur aus schwindelfrei zu sein, denn er verlor nie das Gleichgewicht. Die Isländer gingen trotz der Last, die sie trugen, mit den sicheren Schritten erfahrener Bergwanderer.

Wenn ich zu den hohen Gipfeln des Vulkans hochblickte, erschien es mir unmöglich, ihn von dieser Seite her zu besteigen, falls die Steigung weiterhin so schroff blieb. Nachdem wir uns eine Stunde weitergequält hatten, gelangten wir aber glücklicherweise inmitten des großen Schneefeldes auf einem Bergrücken des Massivs unverhofft zu einer natürlichen Treppe, die uns den weiteren Aufstieg erleichterte. Sie verlief in einer Schneise, die von den Geröllmassen gebildet worden war, die bei den Vulkanausbrüchen mit herausgeschleudert worden waren und die man in Island *stina* nennt. Wenn sich diese Bäche aus Gestein nicht auf dem flachen Land am Fuß des Snæffelsjøkull verteilt hätten, wären sie bis ins Meer hinabgestürzt und hätten dort eine neue Insel gebildet.

Das derart entstandene »Bachbett« war von großem Nutzen für uns. Während die Hänge noch steiler wurden, konnten wir bequem die natürliche Treppe hinaufsteigen. Wir kamen darauf so schnell voran, dass ich einmal, als ich einen Augenblick zurückgeblieben war, die anderen weit über mir nur noch als Punkte erkennen konnte. Um sieben Uhr abends waren wir die zweitausend Stufen der Treppe hinaufgestiegen und hatten den alten Berggipfel erreicht, über den sich der eigentliche Krater erhob.

Das Meer lag fast elfhundert Meter unter uns. Wir waren bereits in der Region des ewigen Schnees, die in Island wegen des rauen Klimas nicht sehr hoch liegt. Es war schrecklich kalt, und ein eisiger Wind wehte. Ich war erschöpft. Der Professor sah, dass mir die Beine den Dienst versagten, und befahl, trotz seiner Ungeduld, dass Halt gemacht werden sollte. Aber unser Führer schüttelte den Kopf und sagte: »Ofvanför.«

»Er sagt, wir müssten weiter«, erklärte mein Onkel. Dann fragte er Hans nach dem Grund dafür.

»Mistour«, antwortete dieser.

»Ja, mistour!«, bestätigte einer der anderen Isländer, und in seiner Stimme klang Angst mit.

»Was heißt das denn?«, fragte ich beunruhigt.

»Schau dorthin!«, antwortete mein Onkel. Eine riesige Windhose aus Bimssteinpulver, Sand und Staub näherte sich der Flanke des Snæffelsjøkull, an der wir uns befanden. Die wirbelnde dichte, dunkle Masse hatte sich vor die Sonne geschoben und warf ihren Schatten auf den Berg. Eine solche Windhose, die aus Winden über einem Gletscher entsteht, nennen die Isländer *mistour*. Wenn sie zu uns herunterkam, würde sie uns unweigerlich in ihren zerstörerischen Wirbel ziehen.

»Hastigt! Hastigt!«, rief unser Führer.

Ohne Dänisch zu verstehen, begriff ich sofort, dass wir Hans schnell folgen mussten. Dieser eilte zur anderen Seite das Kraters. Er marschierte schräg zum Hang, weil man so leichter vorankam. Bald darauf prallte die Windhose gegen den Berg, der erzitterte. Die Steine, die in ihren Sog gerieten, wurden wie bei einer Explosion durch die Luft gewirbelt. Wir hatten glücklicherweise die hintere Bergflanke erreicht und waren außer Gefahr. Ohne unseren wachsamen Führer wären unsere Körper in tausend Stücke gerissen und wie Meteorstaub in alle vier Winde zerstreut worden.

Hans war aber der Ansicht, dass wir die Nacht besser nicht an der Flanke des Vulkans verbringen sollten. So stiegen wir im Zickzack weiter hinauf. Für die verbleibenden fünfhundert Meter bis zum Gipfel brauchten wir fünf Stunden. Wegen der vielen Umwege, die wir machten, wurde der Weg mindestens fünf Kilometer länger. Ich konnte nicht mehr. Ich starb fast vor Hunger und vor Kälte. Auch die dünner gewordene Luft machte mir zu schaffen.

Um elf Uhr in der »Nacht« erreichten wir endlich den Gipfel des Snæffels. Ehe ich in den schützenden Krater hinunterstieg, konnte ich noch einen Blick auf die Mitternachtssonne werfen, die vom tiefsten Punkt ihrer Laufbahn ein fahles Licht über die schlafende Insel zu meinen Füßen sandte.

Vulkanausbruch hautnah – Besuch auf Heimaey
Klaus Böldl

Auf dem Weg zur Abflughalle sah ich über den Gräben und Nasswiesen der Vatnsmýri Nebelschwaden, die freilich so dünn waren, dass sie nicht den leisesten Schatten aufs Gras oder auf die tiefblauen Wasserspiegel warfen. Als die Propellermaschine nach Vestmannaeyjar abhob, von ebenjener Startbahn, die ich von meinem Apartment aus sehen kann, war es noch immer ganz früh am Morgen, und doch flossen auf den Stadtautobahnen unter mir schon die funkelnden Verkehrsströme, als hätte jemand an verschiedenen Stellen eine Flüssigkeit verschüttet, die sich nun gleißend im Morgenlicht ausbreitete.

Bald hatte die Maschine die Hauptstadt hinter sich gelassen und überflog nun das Hochland Hellisheiði, das mit seinen scheinbar einfarbig braunen Bergen, Kratern und Halden die Oberfläche eines erkalteten fernen Himmelskörpers hätte darstellen können, wäre da nicht ab und an ein nachtblauer See gewesen und in der Ferne dann auch das Meeresufer, markiert von einem haarfeinen Gischtstreifen. Der Grünschimmer, der in Wahrheit über einem großen Teil dieser Landschaft liegt, erreicht das Auge eines da hinunterschauenden Flugreisenden nicht mehr. Im Winter des Jahres 1973 sollen viele Einwohner Reykjavíks in den klaren Frostnächten mit ihren Autos ostwärts durch dieses Lavahochland gefahren sein, um vom Rand der verschneiten Hellisheiði auf die Insel Heimaey hinauszuschauen, aus deren Innerem damals rote und weiße Lavamassen mehrere Hundert Meter hoch in den Himmel schossen und das finstere Nordmeer in einen bengalischen Schein tauchten.

Man kann sich jedoch kaum eine freundlichere und begütigendere Gegend denken als das unterhalb der Hellisheiði beginnende Vorland der großen Gletscher mit seinen ozeangleich bis an den Horizont reichenden Grasflächen und den Gehöften, die so weit auseinander liegen, dass man sich unwillkürlich vorstellt, die Bewohner wüssten kaum voneinander.

An einem klaren Septembervormittag bin ich einmal von Hvolsvöllur, einem winzigen Landwirtschaftsdorf an der Ringstraße, landeinwärts gewandert. Am Ortsende, hinter der kleinen weißen und roten Landkirche, stieg ich auf einen Hügel, der nach vorne felsig war, ansonsten in Hängen mit dichtem, kniehohem Gras herabfiel. Südwärts sah ich von dort oben über die endlose Grasebene, aus der weit draußen eine Gruppe von steilen Bergen, einige davon schmal und hoch wie Schornsteine, emporzusteigen schienen: Der eigentliche Ozean, in dem die Westmännerinseln etwa zehn Kilometer vor der Küste liegen, war von hier nicht zu sehen. Im Westen erkannte ich die Bláfjöll, die »Blauen Berge« auf der Hellisheiði, die tatsächlich in einem dunklen, traubengleichen Blau herüberleuchteten. Und im Osten erhob sich der Gletscher Tindfjallajökull als eine ferne kristallische Eisweite über den freundlichen, von der Morgensonne beschienenen Wiesenhügeln. Zuoberst auf der flachen und weitgedehnten Eiskuppe spielte ein seltsamer gleißender Schein, als hätte man dort oben einen riesigen Spiegel aufgestellt.

Manchmal hörte man ein Wiehern von einem der blondmähnigen Pferde auf der Weide oder das insektenartige Brummen eines drüben auf der Ringstraße dahinfahrenden Lasters oder das aufgeregte Piepsen eines kleinen Vogels, der aus dem Gras aufstob und, wie im Spiel, ein paar Augenblicke im Gegenwind auf der Stelle schwebte. Oder eine Brise fuhr mit einem leisen Seufzer durch die in solchen Momenten kaum merklich aufleuchtende Grasweite: Sonst war es still.

Nach einer Weile stieg ich von dem Hügel wieder herunter und schreckte dabei eine Schnepfe im Gras auf, die unter seltsam heiseren Protestschreien davonflog. Lange saß ich dann noch unten auf der windgeschützten Bank an der Südseite des Kirchleins und lauschte auf das Sirren des Windes in den niedrigen Birken, das mich an ein Märchen denken ließ, in dem die Blätter eines Baumes sich in lauter Geheimnisse flüsternde Zungen verwandelt hatten. Ich entzifferte die manchmal schon verwitterten Namen auf den Grabsteinen, die aus dem hohen Gras herausragten, und versuchte mir das ländliche Gleichmaß vorzustellen, in dem die hier Bestatteten gelebt haben mochten, manche von ihnen neunzig Jahre oder länger. Schließlich schlief ich sogar für ein paar Minuten ein und träumte undeutlich von den schwarzen dampfenden Lavahalden drüben auf der Insel Heimaey, auf denen ich ein paar Tage später tatsächlich herumwandern sollte.

Nur ein paar Augenblicke dachte ich im Flugzeug an diesen friedvollen Vormittag in Hvolsvöllur zurück, der mir da wie eine ferne Kindheitserinnerung an einsame Streifzüge in den Sommerferien vorkam, während diese Momente doch tatsächlich nicht einmal eine Woche zurücklagen. Aus der Höhe betrachtet, war das Wiesenidyll von damals kaum zu erahnen; von hier herrschte der Eindruck der rücksichtslos sich ihren Weg bahnenden Gletscherflüsse vor, die sich an der Südküste, in viele Arme zerfasernd und manchmal riesige Deltas bildend, ins Meer ergießen. Vor allem in der Mündungsgegend der mächtigsten, aus den Gletschern im Inselinneren entsprungenen Flüsse, der Ölfusá, der Þórsá und des Markarfljót, scheint, von dreitausend Metern Höhe aus gesehen, eine Überschwemmungskatastrophe zum Jahrtausende währenden Normalzustand geraten zu sein.

Kaum zwanzig Minuten nach dem Start sah ich die ersten Klippen der Westmännerinseln aus dem Meer auftauchen, und gleich darauf senkte sich das Flugzeug herab auf den kleinen Archipel mit seinen Steilküsten und den weiten Grashängen, auf denen schon aus einiger Höhe die verstreuten Schafe zu erkennen waren. Die Maschine glitt über die symmetrisch angereihten, farbigen Dächer von Vestmannaeyjar hinweg, so niedrig, dass ich deutlich eine vom Motorenlärm erschreckte Katze in zwei Sprüngen über eine Straße setzen sah, und kam dann auf dem winzigen, von Schafweiden umgebenen Inselflugplatz auf.

Als ich nach diesem kürzesten Flug meines Lebens zusammen mit der Handvoll Mitreisenden über die vom Regen glänzende Rollbahn auf das einem Hangar ähnliche Flughafengebäude zuging, hatte ich das Gefühl, im Verlauf eines Lidschlags die Welt gewechselt zu haben. Ein fahles Schwefellicht erfüllte diese Welt unter einer schmutzig grauen Wolkendecke, wo ich doch noch vor ein paar Minuten den klarsten Morgenhimmel gesehen hatte, der sich nur denken lässt. Es war die Raumbasis eines düsterstillen und leblosen Planeten, in der diese Leute da drinnen im Neonlicht saßen, Kaffee tranken und die Zeitung lasen, in Erwartung ihres Fluges zur Erde oder zu einem anderen fernen Himmelskörper. Eine Gruppe von jungen Sportlerinnen, wortlos und mit seltsam verlorenen Gesichtern nebeneinander auf einer langen Bank sitzend, die zu einem Wettkampf unterwegs sein mochten und alle die gleichen blassvioletten Trainingsanzüge trugen, verdichteten die interstellare Atmosphäre noch zusätzlich.

Ich trat aus dem Wartesaal und fand mich nach ein paar Schritten schon ganz allein, gerade so, als ob es hier überhaupt nicht üblich sei, sich zu Fuß in der Landschaft fortzubewegen. Ein Schild an der Landstraße mit der Aufschrift *Eldfell 1 km* wies mich in traummäßiger Augenblicksschnelle in eine der gespenstischsten Landschaften, die ich je gesehen habe. Ich meinte es fast körperlich zu spüren, wie die Eindrücke von dieser Gegend in mir versanken und in jene Schichten des Bewusstseins hinuntersickerten, in denen die Träume gemacht und versendet werden; wie sich, gleichsam probeweise, die Lavafelder schon mit den Gestalten bevölkerten, von denen mir immer wieder träumt, den toten Geschwistern oder den sonst nur mehr schemenhaft meine Erinnerungen durchgeisternden Kindheitsfreunden, von denen vielleicht auch nicht mehr alle am Leben sind.

Nach ein paar Hundert Metern endete das anfangs noch dichte, hohe Gras, das sich vom rechten Rand der Landstraße bis ans Meeresufer hinunterzog, und ich sah nun längs des Strandes bizarr aufgeschichtete Lavamassen, wie von Riesen im Spiel zusammengefügt, während linker Hand ein Pfad zu dem Vulkankegel Eldfell hinaufführte. Kurze Zeit sah ich noch einmal das entvölkert wirkende Städtchen unter mir, einen Moment lang von einem bleichen Sonnenlicht erhellt, und am Rand der Lava eine Art Fabrikgebäude mit einem Schlot, aus dem der Rauch dicht über das dort unten moosbewachsene Vulkangestein geweht wurde. Dann bog der Weg ab, und mein Gesichtsfeld wurde ausgefüllt von Halden teils pechschwarzen, teils karminroten Gerölls, mit nur vereinzelten schwefelgelb aufgehellten Flecken, das sich in steilen Hängen zu einem schmalen Grat aufschichtete.

Hier und da stieg aus dem Boden Rauch auf, der mich wie ein warmer, bitter riechender Atem anwehte. Als ich an einer solchen Stelle meine Handfläche vorsichtig auf das Geröll legte, spürte ich, dass das Gestein warm war, etwa so wie eine mittäglich sonnenbeschienene Steinmauer, doch rührte diese Wärme nicht von der Sonne, die unendlich weit entfernt kraftlos hinter der Wolkendecke schwelte, sondern von dem weiß glühenden Kern im Innersten dieses Planeten, auf dem wir ein Leben lang in stumpfsinniger Unbekümmertheit herumwandern. Später sollte ich in einem Dokumentarfilm aus den frühen Achtzigerjahren sehen, wie in jener Zeit noch überall die Sonne trübende Rauchschwaden über diesem Areal aufstiegen.

Besonders eigenartig aber war es für mich, zu denken, dass die vollkommen jeden pflanzlichen Lebens bare Steinwelt, in die ich da hineinstarrte, sich erst zu der Zeit formiert hatte, als ich gerade in die Grundschule ging, mich vor unserer jähzornigen Lehrerin Frau Linder ebenso fürchtete wie vor dem Schwimmunterricht in dem chlorgiftigen Schulbad, und als ich sterblich in zwei Mädchen aus meiner Klasse gleichzeitig verschossen war, die sinnigerweise Eva und Evi hießen und von denen die Erstere mich zutiefst verachtete. Dies und noch unendlich viel mehr aus dem Jahr 1973 ist mir in Erinnerung geblieben, die Sommerferien im Bayerischen Wald mit den Dutzenden von Fliegen in der Bauernküche, die atemlose Sonntagsstille über den tief verschneiten Straßen während der sogenannten Ölkrise, der Tod eines Schulkameraden, der beim Spielen unglücklich von einem Garagendach gestürzt war und sich den Schädel gebrochen hatte, der verheerende Brand der Metzeler-Reifenwerke in unserer Nachbarschaft und der dann noch tagelang wahrnehmbare Geruch nach verbranntem Gummi in den Straßen, und selbst der mich nicht sonderlich berührenden Eröffnung eines Karstadt-Warenhauses am anderen Ende unseres Viertels kann ich mich noch gut entsinnen, aber der Vulkanausbruch auf der Insel Heimaey vor der Südküste Islands, der zu den gewaltigsten der jüngeren

Geschichte zählt und der im Spätwinter und Frühling dieses Jahres Millionen von Fernsehzuschauern und Zeitungslesern in seinen Bann geschlagen haben muss, der ist mir, der ich die Fanfare der Acht-Uhr-Tagesschau ja auch immer nur aus der Ferne im Bett hörte, damals vollständig verborgen geblieben.

Zwar hat es bereits am Abend jenes 23. Januar 1973 auf den Inseln einige leichtere Erdstöße gegeben, die auch im südlichen Island registriert wurden. Doch ein solches Erzittern des Bodens ist in dieser Gegend nichts Ungewöhnliches, und niemand hat daraus geschlossen, dass sich in der Nacht im Osten der Hauptinsel Heimaey ein Riss auftun würde, aus dem sogleich Unmengen von Magma hervorschössen. Seit Menschengedenken hatte es auf Heimaey keinen Vulkanausbruch mehr gegeben. Die etwa fünftausenddreihundert Menschen zählende Inselbevölkerung, welche von dieser ungeheuren Naturgewalttätigkeit aus dem Schlaf geschreckt wurde, konnte noch in derselben Nacht unbeschadet evakuiert werden, da durch einen glücklichen Zufall die gesamte Fischereiflotte im Hafen von Vestmannaeyjar vor Anker lag und das stürmische Wetter der vorhergehenden Tage sich gerade an diesem Abend beruhigt hatte.

Guðjón Ármann Eyjólfsson, ein verdienter Seekapitän von den Westmännerinseln, hat in einem Buch mit dem seltsam lakonischen Titel *Vestmannaeyjar – Siedlung und Vulkanausbruch* noch im Unglücksjahr die Erinnerung an das ursprüngliche Städtchen ebenso wie den Verheerungsprozess, dem es bis in den Frühsommer hinein unterlag, akribisch festgehalten. So sind nicht nur die genauen Verläufe der heute unter vielen Metern Lavagestein verschwundenen Straßen des östlichen Ortsteils diesem Buch zu entnehmen; man kann auch nachlesen, wer in welchem Haus gewohnt hat und wo die achtzehn Gebäude standen, die damals gerade im Bau waren. So schwebt über diesem ganz nüchternen, mit mancherlei Tabellen und statistischen Angaben versehenen Bericht durch die Verknüpfung eines geologischen Geschehens mit den Schicksalen von Menschen, die für Guðjón alle in einem weiteren Verstande Nachbarn waren, doch etwas seltsam Träumerisches, das für unser Gefühl verschiedene Welten zusammen sieht.

Die äußere Gelassenheit der Inselbewohner, die Disziplin, die bei der Evakuierung von Heimaey waltete, ist in den Berichten immer wieder hervorgehoben worden. Wie es freilich in den Menschen ausgesehen haben mag, die sich binnen Stunden um ihre Existenzen gebracht sehen mussten, ist eine andere Frage; ihre Seelenzustände wortreich auszuformulieren, ist ja nicht unbedingt die Art der Isländer. Trotzdem lassen die Augenzeugenberichte in Guðjóns Buch die Schrecken der Fluchtnacht erahnen, das angstvolle Unverständnis in den Gesichtern der aus dem Schlaf gerissenen Kinder, das Gedränge auf den Decks und in den Räumen der Fangschiffe, die eines nach dem anderen in die Winterdunkelheit in Richtung Þorlákshöfn hinausfuhren, während der in einen geisterhaften Feuerschein getauchte Heimatort in die Ferne rückte. Nicht nur alle Menschen waren bis zum Morgen unversehrt in Sicherheit gebracht; in der Folgezeit konnten auch alle Schafe und Rinder, die Hunde und Katzen, die etwa achthundert Autos, viele Möbel und tausenderlei bewegliche Gerätschaften, ja ganze Hausstände gerettet werden – in einer, wie mir unwillkürlich in den Sinn kam, gleichsam gegenläufigen Aktion zu den Anstrengungen Robinson Crusoes, sich auf seiner Insel mit allen möglichen Lebensnotwendigkeiten aus dem langsam versinkenden Schiff zu versehen. Und selbst der im Hafen gelagerte, zur Ausfuhr bestimmte Fischvorrat im Wert von mehreren Hundert Millionen isländischen Kronen konnte geborgen werden.

Von den gigantischen Strömen flüssigen Feuers, die in den

Frühjahrsmonaten des Jahres 1973 unaufhörlich aus dem Erdriss gequollen sind – zweihundertfünfzig Millionen Kubikmeter sollen es insgesamt gewesen sein –, konnte ich mir, auch als ich über die lange schon erstarrten Lavastrecken wanderte, überhaupt keinen Begriff machen. Auf dem Gipfel des sich etwa zweihundertfünfzig Meter über den Meeresspiegel erhebenden Eldfells, des Feuerbergs, angekommen, schaute ich lange über die graublaue See und auf die Steilküste der nahen Insel Bjarnarey, vor der sich die Brandung an schwarz glänzenden Felsen brach. Auch die etwas weiter draußen liegende Vulkaninsel Elliðaey und noch einige andere oben grasbewachsene Felsen zeichneten sich deutlich gegen den glanzlosen Ozean ab.

Doch gegen das Unbehagen, das mich dort oben auf dem Gipfel des Eldfells immer dringender beschlich und das sich allmählich zu einem Gefühl panischer Beklommenheit verdichtete, half es nicht viel, den Blick in die Ferne gerichtet zu halten. Es konnte ja keine Rede davon sein, dass die fahl beleuchtete Lavalandschaft unter mir mit ihren schwarzen und roten Geröllhängen abweisend wirkte: Sie nahm vielmehr gar keine Notiz von irgendetwas. Menschenwesen fanden hier keine Berücksichtigung; sie gehörten in eine andere, noch Jahrtausende entfernte Welt. Auf einmal kamen jetzt auch heftige Windböen auf, gegen die ich mich nur mit Mühe stemmen konnte. So machte ich mich sehr bald auf den Rückweg, mit dem Gefühl, mich in eine für Menschenkinder in keiner Weise gedachte und berechnete Un-Welt verlaufen zu haben.

Am Fuß des vollkommen kahlen Geröllberges, wo sich die Lava bis zum Meeresufer fortsetzte, erhob sich ein mehrere Meter hohes Steinkreuz, doch als ich dort angekommen war, entdeckte ich keinerlei Inschrift, die den Grund seiner Setzung angegeben hätte. Die Lava hier unten hatte an vielen Stellen schon das charakteristische hellgraugrüne Rhacomitrium oder Zackenmützenmoos angesetzt, aus der Ferne einem dicken Schimmelbelag ähnelnd, das sich viel weicher anfühlte, als ich gedacht hätte. An den Rändern der das Gelände durchkreuzenden Aschenpisten hoben sich hier und da auch Büschel hellblonden Grases vom Teerschwarz ab.

Nachdem ich ein paar Hundert Meter gegangen war, stieß ich auf ein vollkommen mit Rost überzogenes, wohl damals, 1973, ausgebranntes Autowrack. Von den Sitzen ragten noch ein paar Sprungfedern auf, sonst war nichts vom Inneren des Wagens bewahrt. Kühler- und Kofferraumhaube waren von der ungeheuren Hitze, der das Auto ausgesetzt gewesen sein muss, zusammengeknüllt wie ein Zeitungsblatt. Ich erinnerte mich an eine Einstellung aus dem Dokumentarfilm, in der man den vorderen Teil eines amerikanischen Straßenkreuzers auf eine märchenhaft anmutende Weise aus einem Lavablock heraustehen sah, wie bei einer unvollständig gebliebenen Verwandlung.

Auf Meereshöhe, die kahlen Halden des Eldfells im Rücken, war es ganz windstill, und trotz des bewölkten, sonnenlosen Wetters war es der wärmste Tag meines Islandaufenthalts. Ich hatte das Gefühl, als ob es die Erdwärme sei, die da über dem Gestein schwebte. Ich entschloss mich, immer am Küstensaum entlang den im Frühjahr 1973 zur Welt dazugekommenen Teil der Insel zu umrunden. Gegen Norden zu war die Lava stark zerklüftet und fiel dann als Steilküste zur See herab. In manchen lichtbegünstigten Spalten wucherten großblättrige, abstoßend wie ein Ausschlag auf mich wirkende Farne und Kräuter.

Auf der anderen Seite der Bucht, an deren Ende der Hafen von Vestmannaeyjar lag, wurden nun die beiden Klippen Ystiklettur und Heimaklettur sichtbar, in deren Felswänden Tausende von Papageitauchern nisteten. Wie grüne Helme wölbten sich steile Weidehänge über den Wänden, in denen Schafe in scheinbar aussichtslosen Lagen standen und ihr dumm und unlustig anmutendes Fressgeschäft verrichteten. Auch überall in den Straßen der Stadt konnte ich die Schafe sehen, wann immer ich den Blick über die Wellblechdächer hinweghob.

Die letzten paar Hundert Meter zur Hafenschanze führte ein schmaler Sand- und Steinstrand unter der Lavawand entlang. Die ersten Menschen, die ich nach fast vier Stunden sah, waren eine Gruppe von Vorschulkindern, die, alle in das gleiche signalrote Ölzeug gekleidet, kreischend vor den flachen Wellen zurückwichen. Unvermittelt stand ich kaum einen halben Meter vor einer großen Seemöwe, die wie brütend im Sand saß. Ihr schwarzes Auge blickte mich hoffnungslos und gleichgültig an, und erst jetzt fiel mir auf, dass der Strand übersät war von toten Seevögeln. Von vielen war nur mehr ein zerfleddertes, hart gewordenes Federkleid übrig und der hohle Knochenkopf mit dem Schnabel. Ich fragte mich, ob solche Vögel, die ja kaum natürliche Feinde haben, sich irgendwohin zum Sterben zurückziehen, wenn sie alt und schwach geworden sind, so wie an diesem Strand. Und mir fiel eine Bemerkung aus Guðjóns Buch wieder ein, nach der Schneeammern, wenn sie sich auf die giftige Gase atmende Asche setzten, sogleich tot umfielen (wie in den Isländersagas die Vögel, die sich auf das Grab eines bösen Wiedergängers setzen), während Tauben, weil sie ein paar entscheidende Zentimeter höher sind, über der Gasschicht atmeten und am Leben blieben.

Am Ende des Strandes, über dem Hafen, waren noch Mauerreste der von den dänischen Kolonialherren erbauten Schanze zu erkennen. Ihren Zweck, die Inselbewohner vor den Island immer wieder heimsuchenden Piraten aus England, Spanien und Nordafrika zu schützen, erfüllte diese Anlage freilich niemals. So landeten im Sommer im Jahr 1627 Seeräuber auf Heimaey, wahrscheinlich aus den Barbaresken genannten Kleinrepubliken an den Küsten Nordafrikas, die sich auf Piraterie spezialisiert hatten und die gesamte Atlantikregion in Angst und Schrecken versetzten. An einem von der Schanze weit entfernten Strand gingen die Seeräuber an Land, plünderten die Insel, verbrannten drei Dutzend Einwohner in einem Lagerhaus, das irgendwo unterhalb der Schanze gestanden haben muss, und führten nicht weniger als zweihundertzweiundvierzig Menschen, rund die Hälfte der damaligen Inselbevölkerung, in die orientalische Sklaverei. Nur siebenunddreißig von ihnen, die der Dänenkönig Christian IV. sieben Jahre später zurückkaufen konnte, sahen ihre Heimat wieder; von den anderen hat man nie wieder etwas gehört.

Über die Schanze gelangte ich wieder auf die Lava, deren westlichster Ausläufer sich etwa fünfzehn Meter über den ehemaligen östlichsten Straßenzügen des Städtchens erhebt. Hier und da entdeckte ich einen Gedenkstein für ein erinnernswertes Haus, so etwa für eines mit dem Namen Þingvellir, das vollkommen ausbrannte, noch ehe sich am 27. März 1973 der glühende Lavastrom darüberwälzte. Ein Foto in Guðjóns Buch zeigt, wie eine Menschenmenge, vom Feuer karminrot angeleuchtet, dem nächtlichen Brand des Hauses zuschaut. In grellem Weiß schlagen die Flammen aus sämtlichen Fenstern und aus dem Dachstuhl. Vor dem Haus verglüht ein metallenes Schild, auf dem noch der Wortteil *fóto* zu entziffern ist. Rechts hinter dem Haus Þingvellir sieht man inmitten der Flammen eine weitere, nur noch einzeln dastehende Hauswand, mit einer leeren Fensterhöhle; orangefarbener Qualm füllt den Hintergrund aus. Die Aufnahme ist von hinten über die Köpfe der im Halbdunkel nur schemenhaft erkennbaren Zuschauer hinweg gemacht worden, und doch teilt sich die wortlose Bestürzung der Menschen, ihre Untröstlichkeit, deutlich mit, auf eine unzweifelhaftere und berührendere Weise vielleicht, als solche Empfindungen in Gesichter gemalt sein können.

Am Rand der Lavazunge, an deren Fuß eine Kirkjuvegur benannte Straße entlangführte, setzte ich mich auf eine der Ruhebänke, von denen aus man Vestmannaeyjar überblickt mit seinen schnurgeraden, unnötig breiten Straßen, den meist einstöckigen weißen Häusern mit den blauen, grünen oder roten Wellblechdächern, weiter draußen noch ein Ausläufer des Hafens, wo ein paar große, rostige Frachter vor Anker lagen, links davon ein Berg mit steilen, weit hinaufreichenden Grashängen. Wenn ich aufstand und über den Rand der Lava hinunterschaute, sah ich linker Hand noch ein vom Lavastrom erfasstes Haus mit einer zerborstenen Steinmauer, einem verbogen herabhängenden und vollkommen mit Rost überzogenen Wellblechdach.

Die ganze Mittagsstunde hindurch saß ich auf der Bank und sah auf die immer heller und dadurch scheinbar breiter werdenden, dabei aber gleichbleibend leeren Straßen hinunter. Gerade dass hin und wieder ein Kind vorbeiradelte, manchmal um sich blickend, als halte es Ausschau nach all den anderen, oder dass eine Katze an einem Rinnstein schnupperte. Momentweise kam es mir so vor, als breite sich dort unten eine Geisterstadt aus, als seien die Bewohner – was doch irgendwie sehr viel Wahrscheinlichkeit für sich hatte – lieber doch nicht mehr nach Hause gekommen nach dem Vulkanausbruch.

Ich begann in Guðjóns Buch zu blättern. Manchmal wurde die Buchseite für einen Sekundenbruchteil dunkler, wenn eine Möwe mit ausgebreiteten Schwingen vor der Sonnenscheibe vorbeiglitt. Der Riss, so las ich da, der sich in der Nacht jenes 23. Januar in der Erde östlich von Vestmannaeyjar unversehens aufgetan habe – zum ersten Mal sollen damals Menschen diesen unheimlichen Vorgang mit eigenen Augen gesehen haben –, sei an die zwei Kilometer lang gewesen. Aus dreißig bis vierzig Kratern sei das Erdfeuer bis zu dreihundert Meter in die Höhe geschossen. Die glühende Lava ergoss sich geradewegs ins Meer, weswegen in kürzester Zeit die ganze Umgegend in dichtem, stinkendem Dampf versank, in dem ein da Hineingeratener binnen Kurzem jede Orientierung verlor. Ein paar Tage später, am 27. Januar, wütete ein schwerer Sturm über den Inseln, und Unmengen von Asche und glühendem Gestein begannen auf die Stadt herabzuregnen. Wie Brandbomben schlugen die auf Tausende von Grad erhitzten Felsbrocken in die Wohnhäuser ein und setzten sie trotz des heftigen Regens in Augenblicksschnelle in Brand. Die im Ort arbeitende Bergungsmannschaft fühlte sich an die Bombennächte des letzten Weltkriegs erinnert.

Anfang Februar bedeckten zwei Millionen Kubikmeter pechschwarze Asche die Stadt, in deren östlichen Straßenzügen in einer Höhe von bis zu sechs Metern, sodass von manchem Haus gerade noch das farbige Wellblechdach hervorleuchtete wie Treibgut auf einem Aschenozean. Es gibt eindrucksvolle Bilder von dieser Szenerie, das berühmteste zeigt den Friedhof, wo aus der düsteren Schwärze der weiß gekalkte Eingangstorbogen zeichenhaft heraussticht, mit der verheißungsvollen Inschrift: *Ég lifa og þér munduð lifa* – ich lebe und ihr werdet leben. Dutzende von Menschen, meist Jugendliche, waren damals damit beschäftigt, mit Schaufeln die sandfeine Asche von den Gräbern und den Wegen zu entfernen. Auf den Bildern gleichen die Helfer, ungeachtet ihrer für jenes Jahrzehnt bezeichnenden Schlaghosen und Schaffellwesten, einer unheimlichen Schar von Totengräbern.

Wenn auch für die Geologen und Vulkanforscher nichts auf diesen Vulkanausbruch hindeutete, der ja der erste auf Heimaey war, seit diese Insel im 9. oder vielleicht schon 8. Jahrhundert von norwegischen Wikingern besiedelt wurde, so scheint es doch, wie ich Guðjóns Buch entnommen habe, gewisse Vorzeichen der Katastrophe gegeben zu haben, wie es wohl überhaupt über menschliche Begriffe geht, dass ein solches elementares und im genauen Wortsinne umwälzendes Ereignis sich nicht in irgendeiner, sei es unerwarteten und vielleicht erst im Nachhinein einleuchtenden Weise, ankündigen sollte. Doch nicht den Erwachsenen mit ihren sensiblen Apparaten und Geräten, aber von dumpfer Alltagswerkelei eingetrübtem Wahrnehmungsvermögen wurden diese Vorzeichen deutlich, sondern einige besonders empfindliche und für die Außenwelt hellhörige und -sichtige Kinder waren es, denen das Unglück schon im Vorhinein erschien, gewissermaßen große Schwestern jener ungeborenen Kinder, die dem Volksglauben nach vor großen Feuersbrünsten im Mutterleib zu reden beginnen und ihre Eltern vor dem Kommenden warnen.

Die elfjährige Klara Tryggvadóttir, die in einer der später unter dem Lavastrom verschwundenen Straßen wohnte, träumte bereits lange vor Weihnachten von glühender Lava, die aus dem Helgafell floß, einem seit Jahrtausenden erkalteten Vulkan nur wenige Hundert Meter von dem 1973 entstandenen Eldfell entfernt. Einmal war ihr auch, als habe sich der Berg Heimaklettur über dem Hafen in einen Feuer speienden Vulkan verwandelt. Die Lava ergoss sich da über die ganze Stadt und strömte unaufhaltsam durch sämtliche Straßen wie eine Sturzflut, sodass alle Menschen davonfahren mussten nach Reykjavík oder sonst wo hin.

Die zehnjährige Sígriður Theódórsdóttir träumte nicht allein von dem Ausbruch, sie scheint ihn vielmehr mit unerschütterlicher und tagklarer Gewissheit vorhergesehen zu haben. Schon in den Wochen zuvor war Sígriður in einem Zustand wachsender Unruhe und Verstörung geschwebt. Weinend beschwor sie immer wieder ihre Mutter, die Familie möge Heimaey verlassen, da es sehr bald schon zu einem schrecklichen Ausbruch komme, und am besten sei es, gleich in die von der vulkanischen Zone weit entfernten Westfjorde

Islands zu ziehen. Dass die Eltern ihren Vorhersagen keine besondere Bedeutung beilegten, erhöhte die Not der Kleinen umso mehr; sie schlief schlecht und kam an manchen Tagen aus dem Weinen gar nicht mehr heraus. So war es auch am Vorabend des Ausbruchs, an dem Sígriður besonders aufgelöst wirkte, immer wieder mit sich überschlagender Stimme den nahen Feuersturm ankündigte und erst spät unter Tränen einschlief. Und nur wenige Stunden später musste ihre Mutter Kristín sie wieder aufwecken für die Flucht vor dem Vulkanausbruch.

Kristín hatte die unheimliche Hellsichtigkeit ihrer kleinen Tochter zutiefst erschreckt, umso mehr, als auch sie selbst noch vor Sígriðurs Geburt einen Traum gehabt haben soll, in dem ihr die Insel Heimaey ganz und gar mit schwarzer Asche bedeckt erschienen war. Im Osten hatte sich da eine Anhöhe gebildet, und auf dieser erblickte Kristín eine Altartafel mit der Aufschrift 1973 (mir selbst ging das große Steinkreuz in der Lava durch den Sinn, als ich das las). Vor diesem Altar stand Jesus Christus, und Kristín war es im Traum ganz klar, dass er da ein Wunder vollbracht hatte, nämlich dass die Stadt und ihre Bewohner nicht für alle Zeiten unter Lava und Asche begraben wurden nach dem Auseinanderbersten des Kraters, das sich im Traum am Ostertag des Jahres 1973 ereignet hatte.

Auch Guðjón selbst gehörte zu den Träumern des Vulkanausbruchs; genau zwanzig Jahre vor der tatsächlichen Katastrophe, im Januar 1953, sah er im Schlaf den Mond hell auf die Klippe Heimaklettur scheinen; das Wetter war so ruhig wie in der Ausbruchsnacht. Doch mit einem Mal zersprang der Mond lautlos, wie wenn man einen Stein in ein stilles Wasser wirft und das Spiegelbild zerbirst. Und dann sah Guðjón einen gelben Riss sich durch den dunkelblauen Winternachthimmel ziehen. Als Guðjón den Blick senkte, war da am Formannasund ein dichtes Gedränge von Menschen, vom Hotel Berg bis hinunter zur Bæjarbryggja. Von dort hörte er deutlich die klappernden Hufschläge von Reitpferden auf dem Kopfsteinpflaster. Alles war überstürzt auf der Flucht von den Inseln.

»Die Atmosphäre im Traum war dieselbe wie die, welche ich dann später in der Nacht des Ausbruchs erfuhr«, schreibt Guðjón, und eines zeigen diese Träume mit Sicherheit, nämlich die tief im Unbewussten verankerte Furcht der Vestmannaeyjar-Bewohner vor der Glut im Erdinnern, von der uns alle ja nur eine hauchdünne Erdschicht trennt. Besonders deutlich wurde ihnen die Pulverfass-Natur ihrer Heimat vor Augen geführt, als am 15. November 1963 nur achtzehn Kilometer südlich von Heimaey ein unterirdischer Vulkanausbruch eine neue Insel aus dem Meer emporsteigen ließ; vier Jahre lang floss die Lava auf Surtsey, ehe sie erkaltete und erstarrte und die Insel ihre – man zögert zu schreiben: endgültige – Form annahm. Auf einer Konferenz in Reykjavík im Frühsommer 1965 wurde beschlossen, die Insel für jede Öffentlichkeit zu sperren und das Entstehen der Tier- und Pflanzenwelt dort von schwedischen und isländischen Biologen beobachten zu lassen. Dass Surtsey schon bald nach seinem Auftauchen aus dem Meer von einigen Touristen betreten worden war, hätte die Resultate leicht in ein unsicheres Licht rücken können, wenn nicht in den Monaten nach der Konferenz heftige Aschenregen von einem benachbarten Vulkan die Insel gleichsam in den Zustand der anorganischen Unschuld zurückversetzt hätten.

Bereits am 14. Mai 1964 hatte sich der erste Gast aus der belebten Welt auf Surtsey eingestellt, eine Federmücke, die in meiner Vorstellung in majestätischer Einsamkeit, hier und da in einem Sonnenstrahl aufleuchtend, über die Aschenfelder schwebt. Im Herbst desselben Jahres kroch den Wissenschaftlern eine Nachtfliege auf den Leim, und vier Jahre später gab es schon über siebzig mit bloßem Auge wahrnehmbare Arten von allerlei kleinem Getier auf der Insel, die meisten davon Zweiflügler. Zu schweigen von jenen als Luftplankton bezeichneten mikroskopisch kleinen Wesen, welche die gesamte, jedenfalls untere Erdatmosphäre als organischer Nebel erfüllen und sich auf eine gerade neu entstandene Landmasse so gut herabsenken wie auf die Meeresoberfläche.

Die meisten Tiere und Pflanzen – im Sommer 1965 regten sich auf Surtsey etwa zum ersten Mal Büschel von Strandhafer – sind von den Westmännerinseln oder von Island herübergeflogen oder -geschwommen, doch finden sich auch Arten, die in der Nordmeerregion vorher nicht heimisch waren, wie einige Schmetterlinge, die von Europa viele Hundert Kilometer über das Meer geflogen sind, nur um sich einen Sommer lang farbenfroh oder vielleicht doch nur in lebenstüchtigen Sandfarben vom Schwarz der Lavalandschaft abzuzeichnen.

So wie Kristín im Traum die Stadt Vestmannaeyjar unter den Schutz von Jesus Christus gestellt hatte, so versuchte auch der Advokat und Kunstsammler Gunnlaugur Þórðarson, die göttlichen Mächte zur Rettung der Stadt und seiner Kirche, die zu den ältesten auf Island zählt, zu gewinnen. Wenige Tage nach der Ausbruchsnacht fuhr er mit einem Fangboot von Island auf seine Insel, mit zwei Gemälden des für seine monumentalen kubistischen Darstellungen des Fischeralltags berühmten Künstlers Gunnlaugur Schevening im Gepäck. Er hängte die beiden Bilder im Chor der Landakirkja auf und ließ dort zwei Monate später mitten im vulkanischen Getöse eine Messe lesen und gebot, wie man heute noch sehen kann, damit dem auf das Kirchlein zufließenden Lavastrom Einhalt.

Von solchen erfolgreichen Feuermessen berichten die Geschichtswerke öfter; die wohl berühmteste hat Jón Steingrímsson 1783 im südisländischen Kirkjubæjarklaustur gelesen, was ihm den Ehrennamen *eldprest*, Feuerpriester, eingetragen hat. Der Ausbruch des Laki in diesem Jahr 1783 gilt, neben dem des Krakatau, als die weltweit mächtigste und zerstörerischste Vulkankatastrophe der letzten tausend Jahre, von der man weiß, und nicht zuletzt dem Laki, der aus einem ganzen System von vierzig Kratern besteht, ist es zu verdanken, dass mehr als ein Drittel aller überirdischen Lava auf diesem Planeten über die kleine Insel Island gebreitet liegt. So gehört die riesige Lavawüste Eldhraun an der Südküste unterhalb der Lakikrater zu den beklemmendsten und unwirklichsten Landschaften auf Island, meint man doch unter den giftgrünen Moospolstern das Sickern und Strömen des glühenden Gesteinsflusses noch zu spüren, als sei das alles erst vor ein paar Sekunden in ungeheurer Zeitraffung passiert: das Stocken, das Kaltwerden, das Sich-Bedecken der rundlichen Steinmassen mit dem dichten, weichen Moos. Und aus geologischer Perspektive sind die seither vergangenen zwei Jahrhunderte ja tatsächlich nicht mehr als ein Lidschlag.

Es muss eine wahre Götterdämmerung gewesen sein, die damals mit dem Laki-Ausbruch über Island aufzog. Schon drei Jahre später erschien in Altona als Beilage einer *Philosophischen Schilderung der gegenwärtigen Verfassung von Island* eine eindringliche, der langfristigen Folgen der Katastrophe freilich noch nicht bewusste *Beschreibung des Erdbrandes im Jahre 1783*. Heftige Erdbeben, die über Wochen hinweg sich jeden Tag ereigneten und von heftigem Donnern und Knallen im Landesinneren begleitet waren, und ein unheimlich die Lüfte erfüllendes, stetig anschwellendes Rauschen wie von hundert fernen Wasserfällen schildert der Verfasser Magnus Stephensen als die ersten Vorboten der Naturkatastrophe. Und der mächtige Gletscherfluss Skaptaá sei im Frühling jenes Jahres besonders reißend, gleichzeitig aber auch sehr übel riechend und »grießig« gewesen. Auf modernen Islandkarten wird man diesen Fluss vergeblich suchen, denn am 11. Juni geschah etwas, das bei den Bewohnern der Gegend tiefe Verstörung ausgelöst haben muss: Der Fluss versiegte binnen zwölf Stunden vollständig. »Die Ursache dieses merkwürdigen Vorganges zeigte sich folgenden Tages den 12ten Junii, da ein erschrecklicher Feuerstrom gleich einem brausenden Meer zwischen den Felsen hervorbrach, und mit der größten Heftigkeit dem Bette der Skaptaá entlang floß. Der beträchtlichen Tiefe und Breite dieses durch niedrige Thäler und sehr grosse Felsenklüfte vorhin sich ergießenden Flusses ungeachtet, jene betrug an vielen Orten vier-fünf- bis sechshundert Fuß, hat der Feuerstrom nicht nur das Bette desselben ganz angefüllet, sondern hie und da zu beyden Seiten noch eine ziemliche Strecke Landes überschwemmt.«

»Es ist mir unmöglich«, schreibt Stephensen des Weiteren in einer gewissen Begeisterung, »alle die schrecklichen Ereignisse vollkommen zu beschreiben, welche diesen ersten Ausbruch begleiteten, und selbigen Tag so sehr grausend machten. Ein fürchterliches schwarzes Gewölk zog von Nordwest auf, und streuete eine Menge Asche, Sand, Schwefelstaub und die graue, haarichte Materie umher; ein sehr übel riechender, stinkender Nebel umhüllte die Erde, und verschluckte die schimmernden, wohlthätigen Strahlen der Sonne; selten schien diese durch den dicken Rauch und den schweflichten Dampf herdurch, und nie anders als wie eine dunkelrothe, blutfarbige Scheibe; wiederholte Stöße und Erschütterungen des Erdbodens, unzählige Feuersäulen gegen Norden, ein schrecklich brausender Feuerstrom in dem Bette der Skaptaá, ein unbeschreibliches Krachen und Prasseln in der Luft, starkes unterirdisches Knallen, ein fernes Rauschen und Getöse auf dem Gebürge, unaufhörliche Blitze und entsetzliche Donnerschläge, dies alles verursachte einen übergrossen Schrecken, und jedermann glaubte, Himmel und Erde würden vergehen...«

Die rot und weiß glühenden Lavaströme, die Gletscherläufe, die in unfassbarer Geschwindigkeit Schlamm und Geröllmassen zu Tale sandten, dem Meer entgegen, Häuser und Vieh mit sich reißend, die erstickenden schwefeldioxidgesättigten Nebel, die sich über weite Gebiete senkten, die verheerenden Stürme, in denen sich die vergiftete Atmosphäre entlud, und allem voran die fluorhaltigen Aschenregen, welche die fruchtbaren Weidegebiete des Südostens in eine leblose Mondlandschaft verwandelten – all das führte in der Folge zum Tod von schätzungsweise zwölftausend Isländern, etwa einem Viertel der damaligen Bevölkerung, und zu einer beispiellosen Verelendung derer, die diesem blinden Wüten der Elemente hatten standhalten können. Im Sommer wimmelte es auf den Weiden von bis dahin unbekannten bläulich roten oder auch gelbbraunen Insekten. »Beym Heuerndten gereichten sie zur grossen Beschwerde, indem die damit beschäftigten Leute in wenigen Minuten von diesen gehäßigen Gästen ganz bedeckt waren.« Stephensen berichtet auch von Menschen, die in ihrer Not rohe Häute verzehrten und alte Felle, ja sogar Stricke kochten. Und noch Jahre danach konnte man auf Island zerlumpten, ausgemergelten Menschen begegnen, die mit ihren letzten, bis auf die Knochen abgemagerten Schafen und Kühen trostlos umherirrten.

Irgendwo meine ich einmal gelesen zu haben, die damals aus den Lakikratern ausgetretenen Gasmassen seien vom Wind Tausende von Kilometern weit über den Atlantischen Ozean hinweggeblasen worden, und die Bewohner des fernen Madrid hätten den plötzlich in den Straßen deutlich zu vernehmenden Schwefelgeruch für ein Anzeichen des Jüngsten Tages gehalten und seien klagend, betend und händeringend auf den Plätzen der Stadt zusammengelaufen.

Die wundersame Rettung des mitten in dem heillosen Geschehen gelegenen Kirchleins von Kirkjubæjarklaustur durch den glaubensfesten Feuerpriester mag angesichts der Verheerungen in jenen Monaten wenig bedeutsam erscheinen, doch es sind wohl gerade solche kleinen Fingerzeige Gottes, welche die Menschen in Zeiten der Auflösung wieder aufrichten. Dass sich dieses Wunder gerade in Kirkjubæjarklaustur zutrug, ist indessen kaum erstaunlich, denn schon seit den frühesten Zeiten Islands ist dieser freundliche grüne Fleck inmitten der steinernen Wildnis des Südostens in den Vorstellungen der Menschen mit göttlicher Macht erfüllt. Dies hängt zusammen mit den irischen Einsiedlermönchen, die hier lange vor der nordischen Besiedlung gelebt haben sollen. Ihre Frömmigkeit machte den Ort dauerhaft für alle Heiden unbewohnbar, und so musste auch der erste nordische Siedler dort mit dem Namen Ketil der Närrische zur christlichen Minderheit unter den Einwanderern gehören. Nachdem dieser gestorben war, so berichtet das im Hochmittelalter entstandene Landnahmebuch, wollte ein Heide namens Hildur den Hof übernehmen, doch schon beim ersten Betreten der Hauswiese fiel er auf der Stelle um und war tot.

1186 wurde an dieser Stelle das erste Nonnenkloster Islands gegründet, an das sich eine Vielzahl von Sagen knüpft. Viele davon haben eher schwankhaften Charakter und dokumentieren den Unglauben der Bauern an die sexuelle Enthaltsamkeit der Bräute Jesu. So wird von einer Äbtissin erzählt, die des Nachts einen Kontrollgang durch die Zellen macht, weil sie den Verdacht hegt, ihre Nonnen könnten sich mit den Mönchen eines benachbarten Klosters vergnügen, und dabei selbst in der Dunkelheit statt ihrer Haube die Hose ihres eigenen nächtlichen Gespielen aufgesetzt hat. Andere Sagen sind dunkler. Ein See inmitten eines grasbewachsenen Hochplateaus oberhalb Kirkjubæjarklausturs trägt den Namen Systravatn (»Schwesternsee«), weil zwei Nonnen darin auf geheimnisvolle Weise verschwunden sein sollen: Ein goldener Kamm wurde aus dem Wasser gestreckt, und die eine der Nonnen watete in den See, um ihn zu greifen, doch das Wasser war zu tief, und sie ertrank. Die andere entdeckte am Ufer ein riesengroßes steingraues Pferd und verfiel auf den Gedanken, auf diesem in den See hineinzureiten und sich so das glänzende Kleinod zu verschaffen. Das Pferd mit der Nonne auf seinem Rücken aber setzte mit einem Sprung über den See, und weder von ihr noch von ihrer Ordensschwester noch von dem goldenen Kamm hat man je wieder gehört.

Meine Gedanken kehrten vom fernen Kirkjubæjarklaustur zurück zu der Insel Heimaey und ihrer Stadt Vestmannaeyjar, wo jetzt vom Hafen her ein betriebsames Hämmern an mein Ohr drang, während unten ein Lieferwagen mit Farbeimern auf der Ladefläche den Kirkjuvegur entlangfuhr, ganz langsam, als hielte der Fahrer Ausschau nach einem Haus, einem Zaun, einem Wellblechdach, das gestrichen gehörte.

Ich stieg dann von der Lava herunter, weil ich allmählich hungrig wurde. Nach einigem Zögern betrat ich ein winziges Imbissrestaurant neben einer Tankstelle und aß auf einem meterhohen Barhocker einen Teller Pommes frites. Gegenüber saßen ein junger Mann im ölverschmierten Overall und seine elfenartige, trotz der Herbstkühle nur mit einem ärmellosen Sommerkleid bekleidete Freundin. Beide hatten sie ihre Mobiltelefone neben die Hamburgerteller gelegt. Auf einem Fernseher waren die Abflugzeiten von Vestmannaeyjar eingeblendet.

Danach spazierte ich durch die Hafenanlagen und schaute mir die allesamt verlassen daliegenden rostigen Kähne mit ihren engen Decks und Außentreppen an und versuchte mir vorzustellen, wie sich dort die Menschen zusammengedrängt hatten in der Evakuierungsnacht, wortlos möglicherweise, und viele hatten schlafende oder weinende Kinder im Arm.

Schließlich kam ich ans offene Meer, wo man aus großen Steinen eine Mauer gegen die Brandung errichtet hatte. Etwas vorspringend gab es dort einen Aussichtspunkt auf die Steilküste und die Klippen, die davor überall aufragten. Alle paar Minuten näherte sich von der Ortsmitte ein Auto, wendete auf dem asphaltierten Platz und kehrte sofort um. Dieses sinnlose Auf- und Abfahren auf den wenigen Straßenkilometern der Insel war mir vorher schon aufgefallen; anscheinend, dachte ich mir, war den Menschen hier wohler, wenn sie sich von Zeit zu Zeit selbst ihre Entrinnbarkeit beweisen konnten.

Später zogen sich die Wolken wieder zusammen, und ein leiser, seltsam warmer Regen setzte ein. Ich saß in einem Café und beobachtete die Leute, die jetzt, am Nachmittag, vereinzelt draußen auf dem nassen Bürgersteig vorbeigingen und hier in dieser unausdenklichen Abgeschiedenheit, im Schatten eines noch rauchenden Vulkanbergs ihren Alltag zelebrierten wie nur irgendein mitteleuropäischer Weltteilnehmer. Eine alte Frau in einem wie für ein Kind gemachten bunten Anorak und in Hausschuhen war auf dem Weg zum Einkaufen. Zwei ungemein dicke Mädchen in Trainingsanzügen, zwölf, fünfzehn Jahre danach geboren, drückten sich lange vor der Tür des Cafés herum, bis sie schließlich hereinstürmten und mit lauten Stimmen Süßes begehrten. Dann fasste ich einen nachdenklich in den Regen starrenden Alten mit einer Schirmmütze in den Blick, die Hände, deren Altersfleckigkeit ich mir vielleicht nur einbildete, hatte er über dem Gesäß verschränkt. Es ging mir durch den Sinn, dass er schon in den Tagen des Ausbruchs kein junger Mann mehr gewesen war.

Seltsam, dass nun im milden Regendunst mehr Menschen unterwegs waren auf den Straßen von Vestmannaeyjar als vorhin im freundlichen Sonnenlicht. Und wie das unvermutet heiter wirkende Fischerstädtchen nun sofort wieder in ein düsteres todesschattiges Brüten verfallen war, durch nichts anderes bewirkt als nur die Zunahme der Luftfeuchtigkeit. Und eben noch waren mir die steilen Grasmatten hoch über den Wellblechdächern der Stadt im Mittagslicht gerade dadurch unwirklich erschienen, dass die Sonne sie so weit verdeutlichte, bis man die schon herbstmüden Bienen meinte über die Halme hinwegtaumeln zu sehen und man die Gewissheit gewann, dass keine Menschenseele unterwegs war dort oben.

Auf der Landstraße, die zwischen im Graulicht signalgrün erscheinenden Wiesen zum Flugplatz führte, drehte ich mich einige Stunden später noch ein letztes Mal um nach Vestmannaeyjar, und für den Bruchteil einer Sekunde hatte ich den Eindruck, die jetzt wieder geisterhaft von einem Sonnenblick angeleuchteten Häuser versänken gerade lautlos im umgebenden Vulkanschwarz wie in Treibsand.

Nachwort

Island, die Insel im Nordatlantik, wird gern und oft mit Assoziationen bedacht wie »Land aus Feuer und Eis«, »Ort der Stille und Einsamkeit«, »Natur pur« oder »Land der Elfen und Wikinger«. Island gilt als hip, war einige Zeit Partyhochburg und ist seit Herbst 2008 das Eiland mit der größten Staatsverschuldung und knapp vor dem Staatsbankrott. Land und Leute werden häufig als einzigartig beschrieben, wobei die Isländer selbst viel zu diesem Image beigetragen haben.

Die vorliegenden Texte vermitteln einen Eindruck von der Vielschichtigkeit des Landes. Eine imaginäre Reise führt durch die Geschichte und die Landschaften, aus der Sicht von Isländern selbst, von vertrauten Islandkennern, aber auch aus dem analytischen Blickwinkel eines Wissenschaftlers. Ergänzt werden die Eindrücke durch Reisebeschreibungen sowie Auszüge aus Romanen und Sagas. Um das Wesen und das Geheimnis der isländischen Natur zu verstehen, um die Energie und Erfolge der Isländer heute zu bewerten, muss man ihre Vergangenheit und ihre Geschichten kennen. Noch vor rund hundertfünfzig Jahren lebten sie in bitterer Armut, kaum von der Welt beachtet. Erst nach dem Zweiten Weltkrieg sind sie zum Global (Co-)Player aufgestiegen.

Steinunn Sigurðardóttir skizziert den Weg der Isländer durch die Geschichte und zeigt auf, welche Entwicklungen und Fehlentwicklungen die recht junge Nation in den letzten zehn bis fünfzehn Jahren durchlaufen hat. Als Autorin besticht sie durch ihre sensible und humorvolle Sprache, als Journalistin hat sie einen durchaus kritischen Blick auf ihr Land.

Damit steht sie in der Tradition von Islands bekanntestem Autor des 20. Jahrhunderts, dem Literaturnobelpreisträger Halldór Laxness. Zeit seines Lebens nahm er die Rolle des kritischen Beobachters ein, was sich in seinen Romanen und

Essays widerspiegelt. Gerade sein prämierter Roman *Atomstation* aus dem Jahr 1948 spart nicht mit Kritik an der Entscheidung der damaligen isländischen Regierung, auf Island einen amerikanischen Militärstützpunkt zuzulassen. Die Proteste der Bevölkerung in dieser Zeit ähneln denen, die sich heute, rund sechzig Jahre später, wiederholen: Wut über eine nach Meinung der Bürger unfähige Regierung, die das Land verkauft. So haben die Äußerungen des Autors Hallgrímur Helgason eine ähnliche Schärfe wie die von Laxness' Romanfiguren und zeigen zugleich die Lust am Protest.

Der Autor und Verleger Halldór Guðmundsson hat mehrere seiner Landsleute, darunter auch Hallgrímur Helgason, interviewt, um die Folgen des wirtschaftlichen Zusammenbruchs im Herbst 2008 für den Einzelnen zu erfahren. Schauplatz der Proteste ist – sowohl bei Laxness als auch bei Helgason – Reykjavík: traditionell die Bühne jeden Protests in Island.

Auch der isländische Autor Guðmundur Andri Thorsson entführt uns in seinem Romanauszug zunächst nach Reykjavík. Es ist das alte, noch dörfliche Reykjavík des 19. Jahrhunderts, öde und schmutzig, in dem kaum etwas an eine mitteleuropäische Stadt erinnert. Die Insel am Ende der zivilisierten Welt war damals schon ein beliebtes Reiseziel. Die Fremden waren fasziniert von den Naturschauspielen, die Einwohner hingegen interessierten sie nur am Rande, sie halfen als Begleiter und als Organisatoren. Auch Jules Verne wählt für seine fantastische Reise zum Mittelpunkt der Erde den Ton des Reiseberichts. Erstaunlich, wie genau er die Landschaft auf der Snæfellsneshalbinsel rund um den Gletscher Snæfellsjökull beschreibt. Fast könnte man glauben, er sei dort gewesen. Der Zauber und die Magie dieses formvollendeten, vergletscherten Vulkans sind bis heute spürbar.

Die beiden Wissenschaftler William Preyer und Ferdinand

Zirkel veröffentlichten ihre Reiseberichte 1862. Viele ihrer Analysen und Schlussfolgerungen haben noch heute Bestand, und ihre präzisen Beschreibungen vermitteln ein umfassendes Bild der jeweiligen Orte. Es überrascht, wie wenig sich in den hundertfünfzig Jahren verändert hat. Natürlich gibt es heute Straßen, Parkplätze und markierte Wege, und doch ist der raue, ursprüngliche Charakter der Natur erhalten geblieben.

Auch Ina von Grumbkows Reisebericht schildert anschaulich ihre Reise durch das Hochland. Sie war aber weniger aus wissenschaftlichen Gründen unterwegs; die Forschungsarbeit überließ sie ihrem Begleiter Hans Reck. Ihr Ziel war der See Öskjuvatn, in dem ihr Verlobter Walther von Knebel auf mysteriöse Weise ertrunken war. Ihre sensible Sprache spiegelt viel von ihren Emotionen wider und ist zugleich ein adäquater Ausdruck, um die überwältigende Kargheit der Lavawüste im Hochland zu beschreiben.

Der Autor und Skandinavist Klaus Böldl findet einen ähnlich literarischen Ton in den Schilderungen seiner Inseleindrücke. Ja, rund um Island gibt es noch einige kleine bewohnte Inseln, so im Süden den Archipel der Westmänner. Durch einen Vulkanausbruch in den Jahren 1963 bis 1967 entstand eine neue Insel, Surtsey, die seitdem den südlichsten Punkt des Landes bildet. 1973 kam es zu einem weiteren dramatischen Vulkanausbruch auf Heimaey, der einzigen bewohnten Insel der Vestmannaeyar. Dieser beschäftigte die internationalen Medien mehrere Monate. Noch heute kann man die verheerenden Spuren sehen, doch das Leben und die Menschen sind schnell wieder zurückgekehrt.

Der finnische Autor Antti Tuuri folgte einer Einladung seines isländischen Kollegen. Mit leichtem Humor berichtet er von den gemeinsamen Ausflügen und Angeltouren. Sein heiteres Staunen über das Leben in Island ist erhellend, und sein befremdliches Verhalten gibt den Isländern wiederum Stoff für neue Geschichten.

Wer Island verstehen will, kommt um etwas Geologie nicht herum, denn sowohl der Vulkanismus als auch der Wasserreichtum prägen nicht nur die Natur, sondern auch die Wirtschaft des Landes. In früheren Jahrhunderten versuchte man, die Naturphänomene, die sich schnell zu Katastrophen ausweiten konnten, als Werk von Geistern, Trollen oder Hexen zu erklären. Die Ethnologin Urte Undine Frömming beschäftigt sich mit dem Einfluss der Naturkatastrophen auf die Kultur des Landes, und es überrascht nicht, wenn manche Vulkanausbrüche durch eine verärgerte Hexe wie die Katla erklärt werden. Sie erhellt den Naturglauben, den Glauben an übersinnliche Kräfte, der – so heißt es immer wieder – in Island recht verbreitet sei. Als Kontrapunkt zeigt der Geologe Walter Jacoby den wirtschaftlichen Nutzen der Wasserkraft in Island auf, für den Reisenden besonders eindrucksvoll bei den großen Wasserfällen zu sehen.

Die Sagas sind der größte kulturelle Schatz des Landes. Niedergeschrieben wurden sie überwiegend im 12. und 13. Jahrhundert, die wenigsten lassen sich Autoren zuordnen. Diese mittelalterliche Prosa vermittelt einen anschaulichen Einblick in das Leben um das Jahr 1000, als die Besiedlung Islands durch die Nordmänner abgeschlossen war, die meisten sich zum Christentum bekannten und der isländische Freistaat in seiner Blütezeit stand. Eine der berühmtesten Sagas ist die *Njáls saga*, die Saga vom weisen Njáll und seiner Freundschaft zu Gunnar. Es geht um Rache, Unrecht, Mord und Kampf. Wer mag, kann sich an den Schauplätzen die dramatischen Ereignisse vorstellen.

Zurück zu den Autoren der Gegenwart, deren liebevolldistanzierte Sicht manche Besonderheit der Isländer deutlich macht. Wolfgang Müller hat das Land am Polarkreis zu seiner zweiten Heimat gemacht, und immer wieder finden isländische Themen Eingang in seine Werke. Er schreibt mit Vorliebe über die kleinen Besonderheiten, die für Isländer charakteristisch sind. Auch Ursula Spitzbart hat ihren Wohnsitz nach Island verlegt. Mit einem liebenden, kritischen Blick beschreibt sie die isländische Gesellschaft und Mentalität – ein schwieriges Unterfangen, denn Isländer geben nicht gern etwas von sich preis.

So spannt sich in diesem Buch ein Bogen mannigfaltiger Eindrücke und Begegnungen von und mit einem Land, dessen Gesellschaft sich rasant gewandelt hat, die dennoch im Alten, Tradierten verhaftet geblieben ist, nicht zuletzt, weil das große Verbindende in Island die überwältigende Natur ist. Sie prägte die Menschen durch die Jahrhunderte und macht diese Insel im Norden bis heute so einzigartig.

Sabine Barth

Worterklärungen

Á Fluss

Althing (isl. Alþingi) die im Jahr 930 in Þingvellir gegründete Volksversammlung (Versammlung aller freier Männer); Name des heutigen Parlaments

Austurvöllur Platz in Reykjavík

Dalur Tal

Davíð Oddsson Angehöriger der Unabhängigkeitspartei (Sjálfstæðisflokkur) von 1991 bis 2004 isländischer Premierminister, von 2004 bis 2005 Außenminister, von 2005 bis 2009 Chef der isländischen Zentralbank

Edda, ältere (Lieder-Edda) Sammlung nordischer Dichtungen, wichtige Quelle der altnordischen Mythologie

Edda, jüngere (eigentl. Prosa-Edda oder Snorra Edda) wahrscheinlich vom isländischen Dichter und Historiker Snorri Sturluson im 13. Jahrhundert verfasstes mythografisches und dichtungstheoretisches Werk für Skalden (höfischer Dichter im Mittelalter)

Eyrbyggia saga eine der ca. im 13. Jahrhundert niedergeschriebenen Isländersagas. Der Schauplatz der Sagahandlung ist der Westen Islands.

Fell, Fjall Berg

Fjörður Fjord

Flutbasalt ausgedehnte basaltische Deckenergüsse

Foss Wasserfall

Fumarole Ausströmen vulkanischer Gase und Dämpfe

Geir H. Haarde Angehöriger der Unabhängigkeitspartei, von 2006 bis 2009 isländischer Premierminister

Gjá Kluft, Spalte

Glitnir eine der drei großen ehemaligen isländischen Privatbanken

Gljúfur Schlucht

Gode (isl. *goði*) Häuptling und Priester eines Godentums, der die rechtliche Gewalt innehatte. Die Goden wurden 1279 durch einen Statthalter des norwegischen Königs ersetzt.

Hlaup (auch: *Jökullhlaup*) plötzliches, flutartiges Entleeren eines sich unter dem Gletscher befindenden Sees, meist aufgrund eines Vulkanausbruchs unter dem Gletscher

Hraun Lava

Worterklärungen 217

Isländersagas (Íslendingasögur) ca. im 13. Jahrhundert in Island niedergeschriebene Texte, die die Landnahme und die ersten Jahrhunderte der Besiedlung Islands beschreiben

Íslendingabók ältestes bekanntes, wohl um 1125 von Ari Þorgilsson (Ari der Gelehrte) geschriebenes Geschichtswerk Islands, worin die Zeit von der Landnahme Islands bis 1118 dargestellt wird

Jökull Gletscher

Kielspurhengst hier: Schiff

Landnahmebuch (isl. *Landnámabók*) Buch der Besiedlung Islands, in dem eine Liste der norwegischen Siedler enthalten ist, die zwischen 870 und 930 Island besiedelten; die ursprüngliche Form der Landnámabók wurde wohl im 11. Jahrhundert verfasst und ist nicht erhalten; die älteste erhaltene Form stammt aus dem 13. Jahrhundert

Lögretta gesetzgebende Versammlung auf dem Althing

Lögsögumaður Gesetzessprecher

Mond des Schiffes hier: (am Bord aufgehängter) Schild

Morgunblaðið größte Tageszeitung Islands

Palagonit wasserhaltiges vulkanisches Glas

Ringstraße Straße Nr. 1, die rings um Island führt

Sandur breite Sand- und Schotterflächen

Schildvulkan Vulkan mit einer schildartig aufgewölbten Form, die durch die extrem dünnflüssige und schnell fließende Lava entsteht

Schlammvulkan morphologische Erhebungen, oft in der Form eines Vulkans, aus denen wassergesättigter Schlamm austritt

Solfatare Ausströmen von Wasserdampf und Schwefelwasserstoff

Sturmbäume Kampfkrieger

Sysselmann Vorsitzender eines Bezirks, Landrat

Thing Gerichtsversammlung im mittelalterlichen Island

Tuff Gestein, das mehrheitlich aus vulkanischer Asche besteht

Varða Wegweiser, Steinmann

Wiedergänger meist böse gesinnte Verstorbene, die in Menschengestalt zurück in die Welt der Lebenden kommen

Zentralvulkan Großvulkan mit gemischter Tätigkeit

Autorinnen und Autoren

Mit * gekennzeichnete Titel wurden für diese Anthologie vom Verlag neu gesetzt.

Anonym
»Gunnars letzter Heldenkampf – Auszug aus der Njáls saga«*, aus: Hans-Peter Naumann (Hrsg.), *Njals Saga. Die Saga von Njal und dem Mordbrand.* © Lit Verlag, Münster 2005. Aus dem Altisländischen übersetzt von Hans-Peter Naumann.

Klaus Böldl
geboren 1964 in Passau. Nach seinem Studium der Nordischen Philologie, Germanistik und Komparatistik arbeitete er als wissenschaftlicher Assistent an der Münchner Universität, bevor er 2007 Professor und Leiter der Altnordischen Abteilung in Kiel wurde. Neben wissenschaftlichen Arbeiten über die und Übersetzungen der isländischen Sagas schreibt er auch Romane und Erzählungen.
»Vulkanausbruch hautnah – Besuch auf Heimaey«*, aus: Klaus Böldl, *Die fernen Inseln.* © S. Fischer Verlag GmbH, Frankfurt a. M. 2003.

Urte Undine Frömming
geboren 1974, studierte in Frankfurt a. M. und in Berlin Ethnologie. Seit 2000 ist sie wissenschaftliche Mitarbeiterin am Institut für Ethnologie an der FU Berlin. Im Juni 2009 wurde sie auf die Juniorprofessur Visual and Media Anthropology berufen. Einer ihrer Forschungsschwerpunkte ist die Natur-Kultur-Beziehung, u. a. in Island.
»Hexen, Geister, Elfen – Die unsichtbaren Bewohner«* (»Ursprungsmythologische Deutung von Naturkatastrophen«, »Vulkane und Lavawüsten als moralisch-juridischer Ort«, »Das huldufólk: Elfenglaube auf Island«), aus: Urte Undine Frömming, *Naturkatastrophen. Kulturelle Deutung und Verarbeitung.* © Campus Verlag, Frankfurt a. M. 2006.

Ina von Grumbkow
geboren 1872 in Hamburg als Viktorine Helene Natalie, gestorben 1942 bei Berlin, war verlobt mit Walther von Knebel, der im Juli 1907 zusammen mit dem Maler Max Rudolff im Öskjuvatn ertrank. 1908 führte sie eine Recherchereise mit Hans Reck nach Island. 1912 heira-

teten Reck und Grumbkow und unternahmen Forschungsreisen nach Afrika.
»Auf dem Pferderücken durchs unbekannte Hochland«* (»Herdubreiðarlindir«), aus: Ina von Grumbkow, *Ísafold. Reisebilder aus Island,* hrsg. von Marion Malinowski. © Verlag LiteraturWissenschaft.de, Marburg 2006.

Halldór Guðmundsson
geboren 1956 in Reykjavík, studierte Literaturwissenschaften an der Universität Reykjavík und in Kopenhagen. Seit 1984 leitet er den renommierten Verlag Mál og menning, der sich zum größten Verlag des Landes entwickelte. Er ist Autor mehrerer Bücher, u. a. einer umfangreichen Laxness-Biografie.
»Der Schiffbruch der Businesswikinger«* (»Am Fenster des Premierministers«), aus: Halldór Guðmundsson, Mitarbeit Dagur Gunnarsson, *Wir sind alle Isländer. Von Lust und Frust, in der Krise zu sein.* © 2009 btb Verlag, München, in der Verlagsgruppe Random House GmbH.

Wolfgang Jacoby
geboren 1938, studierte Physik und promovierte in Geophysik. Er forschte zwischen 1967 und 1972 am Dominion Observatory in Ottawa. Anschließend wurde er Professor für Geophysik in Frankfurt, ab 1984 in Mainz am Institut für Geowissenschaften. Island blieb auch nach seiner Emeritierung im Jahr 2002 eines seiner Spezialgebiete.
»Wasser, Eis und Lava – Ein geologischer Blick«* (»Schluchten und Wasserfälle«), aus: *Island. Zeitschrift der Deutsch-Isländischen Gesellschaft e. V. Köln und der Gesellschaft der Freunde Islands e. V.,* 13. Jg., Heft 1, Mai 2007. © Wolfgang Jacoby 2007.

Halldór Laxness
geboren 1902 auf Laxnes bei Reykjavík als Halldór Guðjónsson, gestorben 1998 in Reykjavík. Er veröffentlichte schon mit 14 eine Erzählung und schrieb mit 17 seinen ersten Roman. In jungen Jahren reiste er durch Europa, Kanada und die USA. Er schuf ein umfangreiches Werk – zeitkritisch, humorvoll und mit eigenem Stil. 1955 erhielt er den Nobelpreis für Literatur.
»Aufstand gegen die Atomstation«*, aus: Halldór Laxness, *Atomstation.* © Steidl Verlag, Göttingen 2002. Aus dem Isländischen von Hubert Seelow.

Autorinnen und Autoren

Wolfgang Müller
geboren 1957 in Wolfsburg, Studium an der Hochschule der Bildenden Künste in Berlin. Als Künstler und Autor nähert er sich seit den 1990er-Jahren Island, seinen Elfen, Vögeln und anderen Exoten an. Er ist bekannt für seine Performances und seine vielfältigen Hörspiele für den Bayerischen Rundfunk. Müller lebt in Berlin und in Reykjavík.
»Trocknen, Pökeln, Wässern, Vergraben – Isländische Fischgerichte«* (»Trockenfisch auf dem Mount Everest«), aus: Wolfgang Müller, *Neues von der Elfenfront. Die Wahrheit über Island.* © Suhrkamp Verlag, Frankfurt a. M. 2007.

William (Thierry) Preyer
geboren 1841 in England, gestorben 1897 in Wiesbaden. Er studierte zunächst Chemie und Physiologie, wechselte 1862 zum Medizinstudium in Paris, Berlin, Wien und Bonn, wo er auch seinen Abschluss machte. Er lehrte als Professor für Physiologie an der Universität Jena und war nach seiner Emeritierung als Privatdozent in Wiesbaden tätig.
»Von Schwefeltöpfen, heißen Quellen und Geysiren – Reiseabenteuer vor 150 Jahren«*, aus: William Preyer und Dr. Ferdinand Zirkel, *Reise nach Island im Sommer 1860.* F. A. Brockhaus, Leipzig 1862.

Steinunn Sigurðardóttir
geboren 1950 in Reykjavík, veröffentlichte schon mit 19 Jahren ihren ersten Lyrikband. Nach dem Studium der Psychologie und Philosophie in Dublin arbeitete sie sowohl als Journalistin für den Rundfunk und für Zeitungen als auch als Autorin. In Island zählt sie zu den renommiertesten Autorinnen ihrer Generation, ihre Romane und Gedichte werden in viele Sprachen übersetzt. Sie lebt in Frankreich und Island.
»Vom Torfhaus zum Megakraftwerk – Der Sprung in die Moderne«* (»Über die Unabhängigkeit«), Vortrag von Steinunn Sigurðardóttir (Dezember 2004 in Köln), aus: *Island. Zeitschrift der Deutsch-Isländischen Gesellschaft e. V. Köln und der Gesellschaft der Freunde Islands e. V.*, 11. Jg., Heft 1, Mai 2005. © Steinunn Sigurðardóttir 2005. Aus dem Isländischen von Tina Flecken.

Ursula Spitzbart
geboren 1968 in Nürnberg, Ausbildung zur Ökotrophologin in Freising. Ihre Leidenschaft für Reisen brachte sie u. a. nach Island, wo sie

den »idealen« Partner fand. Seit 2003 lebt sie mit Mann und Tochter in Reykjavík.
»Island – das Maß aller Dinge?«* (»Die heimlichen Weltmeister«), aus: Ursula Spitzbart, *Zwischen Licht und Dunkel. Abenteuer Alltag in Island*. © Dryas Verlag, Oldenburg 2009.

Guðmundur Andri Thorsson
geboren 1957 in Reykjavík, studierte Isländische und Vergleichende Literaturwissenschaften an der Universität Reykjavík. Er arbeitete als Literaturkritiker und Lektor und ist seit 2009 wieder verantwortlicher Redakteur der isländischen Literaturzeitschrift *Tímarit Máls og menningar*. Außerdem ist er Mitglied einer Band und literarischer Autor von Romanen und Kurzgeschichten.
»Trunkenbolde, Schlamm und Armut – Reykjavík im 19. Jahrhundert«*, aus: Guðmundur Andri Thorsson, *Nach Island!* © 1996 Guðmundur Andri Thorsson. Klett-Cotta, Stuttgart 2000. Aus dem Isländischen von Helmut Lugmayr.

Antti Tuuri
geboren 1944 in Kauhava, Finnland. Der studierte Diplomingenieur arbeitet seit 1983 als freier Schriftsteller. Seine Bücher zeichnen sich durch einen trockenen Humor aus, mehrere von ihnen wurden verfilmt und erhielten renommierte Literaturpreise wie den Preis des Nordischen Rates.
»Auf Schotterpisten zum Goldenen Kreis«*, aus: Antti Tuuri, *Großes kleines Land. Isländisches Tagebuch*. © Pettersson Verlag, Münster 1998. Aus dem Finnischen von Andreas Ludden.

Jules Verne
geboren 1828 in Nantes, gestorben 1905 in Amiens. Der studierte Jurist gilt mit seinen gut recherchierten und genau beschriebenen Fortbewegungsmitteln als Erfinder der Science-Fiction-Romane. Die meisten seiner erfolgreichen Werke wie *Die Reise um die Welt in 80 Tagen* (1872) sind Abenteuer- und Reiseromane, die im 20. Jahrhundert häufig verfilmt wurden.
»Aufbruch zum Mittelpunkt der Erde«*, aus: Jules Verne, *Reise zum Mittelpunkt der Erde*. © Fischer Taschenbuch Verlag in der S. Fischer Verlag GmbH, Frankfurt a. M. 2003. Aus dem Französischen von Manfred Kottmann.

Autorinnen und Autoren

Ferdinand Zirkel
geboren 1838, gestorben 1912, studierte in Bonn Geologie und lehrte nach seiner Promotion 1861 in Wien Geologie und Mineralogie. Er wechselte 1863 nach Lemberg, wo er sich habilitierte. Anschließend hatte er Professuren in Kiel und Leipzig inne. Im Sommer 1860 unternahm er zusammen mit William Thierry Preyer eine Reise nach Island.

Der Verlag dankt den Autorinnen und Autoren dieses Bandes, bzw. deren Vertretern, für die Überlassung der Abdruckrechte. Trotz intensiver Bemühungen konnten in einzelnen Fällen die Rechteinhaber nicht ermittelt werden. Sie werden gebeten, sich mit dem Verlag in Verbindung zu setzen.
Even with great effort some of the copyright holders could not be found. They are kindly requested to contact Unionsverlag.

Die Herausgeberin

Sabine Barth, geboren 1956, studierte Theater-, Film- und Fernsehwissenschaften, Germanistik, Sozialpsychologie und Völkerkunde. Sie arbeitet als freie Journalistin für Printmedien und den Rundfunk, mit Schwerpunkt Island, Grönland und Literatur. Sie bereist Island seit 1981 und hat dort von 2001 bis 2003 das Goethe-Zentrum geleitet.

Bildnachweis

7 *Fischerhütte in Reykjavík*, von Joseph Paul Gaimard (1796–1858), aus: ders., *Voyage en Islande et au Groenland*, Paris 1842.
21 *Die Hauptstraße von Reykjavík*, von Joseph Paul Gaimard
37 Isländische Münze (10 Kronen)
46 Isländisches Wappen
56 Ein Wal wird geschlachtet.
62 Eine Elfe steigt aus ihrer Grotte hervor.
73 Beginn der Saga von St. Olaf aus dem *Flateyjarbók* (spätes 14. Jahrhundert), dargestellt ist der Tod des norwegischen Königs Olaf im Jahr 1030
96 *Seljalandsfoss am Südwesthang des Eyjafjallajökull*, von Joseph Paul Gaimard
114 Der Berg Herðubreið
122 Krater Hverfjall an der Ostseite des Mývatn
156 *Der Große Geysir und der Geysir ›Strokkur‹*, von Joseph Paul Gaimard
167 Illustration von Edouard Riou (1833–1900), aus: Jules Verne, *Reise zum Mittelpunkt der Erde*
185 Flyer einer Sightseeingtour auf Heimaey

Foto Umschlaginnenseite: Aneta Skoczewska

Bücher fürs Handgepäck im Unionsverlag

---

*»Was der klassische Reiseführer nicht leisten kann,
fördern die handlichen Bände gezielt zutage.«*
Der Tagesspiegel

*»Ein tolles Projekt ist die Reihe ›Geschichten fürs Handgepäck‹:
Ein Land und seine Lebenswirklichkeit werden umkreist.«*
Kurier

*»Die Nadel im ›Kulturkompass fürs Handgepäck‹
durchsticht die Schichten der immer wieder übermalten Bilder.«*
Frankfurter Allgemeine Zeitung

Reise nach Kreta (UT 472)
  Kulturkompass fürs Handgepäck
  Hg. von Ulrike Frank

Reise in die Sahara (UT 471)
  Kulturkompass fürs Handgepäck
  Hg. von Lucien Leitess

Reise nach Island (UT 470)
  Kulturkompass fürs Handgepäck
  Hg. von Sabine Barth

Reise nach Japan (UT 469)
  Kulturkompass fürs Handgepäck
  Hg. von Franziska Schläpfer

Reise nach Myanmar (UT 443)
  Kulturkompass fürs Handgepäck
  Hg. v. Alice Grünfelder u. Lucien Leitess

Reise ins Tessin (UT 442)
  Kulturkompass fürs Handgepäck
  Hg. von Franziska Schläpfer

Reise nach Mexiko (UT 441)
  Geschichten fürs Handgepäck
  Hg. von Anja Oppenheim

Reise in die Provence (UT 440)
  Kulturkompass fürs Handgepäck
  Hg. von Ulrike Frank

Reise nach Ägypten (UT 439)
  Geschichten fürs Handgepäck
  Hg. von Lucien Leitess

Reise nach China (UT 438)
  Kulturkompass fürs Handgepäck
  Hg. von Françoise Hauser

Reise nach Indien (UT 423)
  Kulturkompass fürs Handgepäck
  Hg. von Dieter Riemenschneider

Reise nach Marokko (UT 422)
  Kulturkompass fürs Handgepäck
  Hg. von Lucien Leitess

Reise in den Himalaya (UT 421)
  Geschichten fürs Handgepäck
  Hg. von Alice Grünfelder

Reise in die Schweiz (UT 420)
  Kulturkompass fürs Handgepäck
  Hg. von Franziska Schläpfer

Reise nach Bali (UT 401)
  Kulturkompass fürs Handgepäck
  Hg. von Lucien Leitess

Reise nach Thailand (UT 400)
  Geschichten fürs Handgepäck

Mehr über alle Reisebände auf *www.unionsverlag.com/reise*